COLLECTION ANTHOLOGIES

Quand j'parl' pour parler. Poèmes et proses
de Jean Narrache
est le huitième titre de cette collection
dirigée par Jean Royer.

JEAN NARRACHE

Quand j'parl' pour parler

Poèmes et proses

Anthologie présentée par
Richard Foisy

l'HEXAGONE

Éditions de l'HEXAGONE
Une division du groupe Ville-Marie Littérature
1000, rue Amherst, bureau 102
Montréal, Québec
H2L 3K5
Tél.: (514) 523-1182
Télécopieur: (514) 282-7530

Maquette de la couverture: Nancy Desrosiers

Photo de la couverture: Jean Narrache vers 1939.
Archives du Séminaire de Nicolet.

Mise en pages: Édiscript enr.

Distribution:
LES MESSAGERIES ADP
955, rue Amherst
Montréal, Québec
H2L 3K4
Tél.: (514) 523-1182
Interurbain sans frais: 1 800 361-4806

Pour la France:
INTER FORUM
Immeuble ORSUD
3-5, avenue Galliéni,
94251, Gentilly Cédex
Tél.: (1) 47.40.66.07
Télécopieur: (1) 47.40.63.66
Commandes:
Tél.: (16) 38.32.71.00
Télécop.: (16) 38.32.71.28
Télex: 780372

Dépôt légal: 3e trimestre 1993
Bibliothèque nationale du Québec
Bibliothèque nationale du Canada

ISBN 2-89006-494-8

Introduction

«Le robuste chant d'une voix pure»

L'œuvre d'Émile Coderre, alias Jean Narrache (1893-1970), dépasse de beaucoup le cadre des sept minces volumes publiés par l'auteur entre 1922 et 1963. Cela tient à ce que la plus grande partie de son œuvre est constituée de textes radiophoniques, de causeries et de chroniques journalistiques qui n'ont jamais été réunis en volumes. Grâce aux recherches et publications de Pierre Pagé et Renée Legris, la littérature radiophonique fait désormais partie de l'histoire littéraire du Québec. Ces recherches ont permis le recensement de l'œuvre radiophonique de Jean Narrache, qui est importante, mais dont une poignée de textes seulement a été publiée. Très peu de ses causeries ou conférences ont paru dans des revues ou dans les journaux; la plupart allaient partager le sort des textes radiophoniques tombés au fond d'un tiroir. Quant aux articles de journaux qui se comptent par centaines, on peut être certain qu'ils n'ont pas tous été recensés jusqu'à ce jour. Sa chronique *J'parl' pour parler* qui, à partir de 1937, paraissait chaque dimanche dans *La Patrie* reste la plus impressionnante avec plus de quatre cents articles étalés sur huit années. Enfin, il ne faut pas négliger les écrits à caractère pharmaceutique qui, s'ils rejoignent la profession que s'était choisie Émile Coderre, débordent souvent le cadre strictement professionnel pour verser dans les souvenirs, la poésie, l'histoire, la fiction et même certaines relations de voyage.

Quant à l'œuvre en vers, qui est la pointe de l'iceberg, elle comprend principalement deux recueils qui ont fait la renommée de l'auteur: *Quand j'parl' tout seul* (1932) et *J'parl' pour parler* (1939). Leur réédition sous le titre *Bonjour, les gars!* en 1948 n'apportait que sept inédits alors que la réimpression de 1961, *J'parle tout seul quand Jean Narrache*, apporte, elle, plus d'une quinzaine d'inédits. Restent quelques poèmes non repris par l'auteur et dispersés dans les journaux et revues auxquels il collaborait. Et pour terminer par le commencement, notons que le véritable départ de l'œuvre de Jean Narrache est le journal estudiantin clandestin *Le Mercredi* qu'il rédigeait à dix-huit ans au Séminaire de Nicolet.

Chez Jean Narrache, l'utilisation en poésie de la langue populaire marque son affranchissement par rapport à une forme d'expression plus conventionnelle. En osant écrire ses poèmes en langue populaire, Coderre mettait le pied en terre inconnue où la richesse et les découvertes foisonnaient. C'est là que Jean Narrache l'attendait et que, sous les dehors du parler populaire, il allait atteindre plus de vraie profondeur qu'il ne l'a peut-être cru. Non seulement il allait trouver sa véritable personnalité poétique mais il allait mettre à profit les ressources insoupçonnées de la langue québécoise dans le domaine de la versification et fixer ainsi nombre de ses aspects les plus originaux. La langue classique, Coderre la réservera pour les causeries et les articles de journaux, chroniques ou critiques littéraires, et bien sûr pour la correspondance.

Chez Coderre-Narrache, donc, la poésie appartient à la langue populaire tandis que tout un groupe d'idées critiques relève de la langue classique. L'utilisation permanente de ces deux aspects d'une même langue est un reflet du dédoublement fondamental qui habite notre auteur et qui, notamment, prend le visage de «cette fichue dualité»: «mélancolie-humour» qu'il évoquera vers la fin de sa vie et qui imprègne l'œuvre entière de ce natif des Gémeaux, à la fois pharmacien et poète, commis voyageur et casanier, bachelier ès arts et gueux, pessimiste et amoureux de la vie. De plus, ce dédoublement recouvre un conflit intérieur sur lequel l'écrivain reviendra souvent et qui est le doute constant de sa vocation littéraire.

Qu'elle soit en langue classique ou populaire, la phrase de Jean Narrache est une voix qui parle avant d'être une plume qui écrit. Cette voix, il faut la suivre dans les modulations, variations et reprises de ce long leitmotiv de la misère humaine, souffrante, résignée, mais parfois aussi, libre et joyeuse, principalement exprimée dans la série radiophonique *Le vagabond qui chante.* De temps en temps, ce leitmotiv est secoué par une révolte qui clame tout haut ce qu'elle pensait tout bas depuis trop longtemps. Enfin, le souffle vital de l'humour parcourt toutes ces pages auxquelles il donne leur air d'éternelle jeunesse.

Les premiers écrits que nous possédons d'Émile Coderre remontent aux années 1910-1912, alors qu'il poursuit ses études classiques au Séminaire de Nicolet qu'il fréquente depuis 1904.

Né à Montréal le 10 juin 1893 et orphelin de père et de mère dès l'âge de six ans, il est recueilli par une des sœurs de son père, Mme Ouimet qui, avec son mari, tient la Pension Laberge, face au carré Viger. Émile y vivra jusqu'en 1903. Cette année-là, un des frères de sa mère, le curé Majorique Marchand, de Gentilly, le prend en charge et le fait entrer l'année suivante au Séminaire de Nicolet où lui-même avait fait ses études classiques. Le curé Marchand décédera le 14 mai 1905, à l'âge de soixante-sept ans, non sans avoir assuré le paiement des études de son neveu jusqu'à leur terme en 1912. Pour l'orphelin de douze ans, éloigné de sa ville natale et de ses parents adoptifs, la disparition de cet oncle, qui visiblement l'aimait beaucoup et misait sur lui, a sans doute renforcé cet étrange sentiment de solitude vers lequel le poussaient les circonstances de sa vie. Beaucoup plus tard, en 1966, Coderre résumera ainsi ce moment de son existence: «[...] on m'enferma dans un lointain séminaire de campagne où personne ne vint jamais me voir au parloir, où personne ne m'écrivit jamais une lettre[1].» Si plusieurs fois au cours de sa vie, Coderre a réitéré sa reconnaissance envers ses parents adoptifs, il a attendu longtemps, comme on le voit, pour confier ce délaissement dont il se sentit l'objet.

Et c'est là, en 1904, à l'âge de onze ans, alors qu'il est en Éléments latins — il saute la classe préparatoire —, que Coderre écrit son premier poème et forge son premier pseudonyme! S'il ne connaît pas encore les règles de la versification, le gamin sait au moins qu'un poème ça rime et voici ce qu'il compose... en vers libres:

Pinrot... (Pinnerault)

Il est ici-bas
Un endroit aimé de l'écolier
Il l'honore de ses pas
Plus qu'il peut le désirer
Je veux parler du pinnerot
Où soir et matin
Au petit train
Ou au galop
On se délasse
Ou plutôt on se lasse
Car on n'est pas chaud
Je vous assure
Pour marcher sur le pinrot
De cela soyez sûr.

As de trèfle: X Raton[2]

---

1. Témoignages des poètes canadiens-français, dans *Archives des lettres canadiennes*, t. IV, Fides, 1969, p. 384.

2. *La Vie nicolétaine*, avril 1944, p. 103. *Cf.* lettre de madame Aurore Fournier-Ouellet à l'abbé Robert Charland, supérieur du Séminaire de Nicolet, 24 février 1976, p. 5, note 2, Archives du Séminaire de Nicolet.

Déjà perce dans ce petit poème une pointe de cette ironie qui, plus tard, donnera tant de verve à la plume de l'écrivain, car le «pinrot» en question était l'allée de pins qui bordait l'un des côtés du séminaire et où l'on envoyait parfois des élèves faire les cent pas en pénitence... Cette aptitude à ironiser et à faire de l'humour sur les situations plus ou moins déplaisantes de l'existence, Coderre ne s'en départira jamais.

C'est au cours de ses deux dernières années d'étude, de 1910 à 1912, que le jeu du pseudonyme prendra une tournure nouvelle puisqu'il servira à Coderre à rédiger son journal estudiantin clandestin *Le Mercredi*. Il raconte lui-même comment, un après-midi de l'automne 1910, la lecture des *Souvenirs de prison* de Jules Fournier lui inspire la création de ce journal:

> Fournier racontait son séjour à la prison de Québec à la suite d'un article libelleux. Il n'en fallut pas plus pour faire monter Fournier de trente coudées dans mon estime; il devint, du coup, mon héros, mon idole! Si bien qu'à la récréation du même soir, tandis que je «couvais» religieusement une heure de silence... je me mis à rêver plus que jamais de littérature, de journalisme... de libelle et de prison! (Je ne suis pas encore parvenu aujourd'hui au libelle et à la prison, mais courage! cela viendra.) Dès l'étude du soir, j'arrachai une double feuille au centre d'un de mes cahiers, je la divisai en colonnes de journal que je surmontai du titre *Le Mercredi*. Quand je montai au dortoir, je venais d'écrire mon «Premier-Pinero» et j'exultais! Aussi, je passai la nuit blanche à me voir en prison, et déjà je songeais aux «Souvenirs» que j'écrirais alors[3]!

Rédigé à la main et donc «tiré» à un unique exemplaire, *Le Mercredi*, qui correspond au jour de congé, passe ainsi de main en main, plié en quatre, parmi les confrères de classe de philosophie junior.

3. «Mes débuts de journaliste en 1910», dans *La Vie nicolétaine*, décembre 1937, p. 86.

Le Mercredi se donne une devise, tirée de *Cyrano de Bergerac*:

> Je fais, en traversant les groupes et les ronds,
> Sonner les vérités comme des éperons.

Voilà qui donne le ton: *Le Mercredi* se veut un journal de combat et d'opinions. Ce journal étant clandestin (le règlement du Séminaire interdisait ce genre de publication), son directeur a soin de se revêtir du pseudonyme tonitruant d'Eustache Montenhaut! Et pour rendre vraisemblable la multiplicité des collaborateurs, Coderre invente une ribambelle de pseudonymes-calembours qui sont tous en rapport direct avec le sujet traité: ainsi, É. Rudit signe un article sur Pascal, A. É. Rho, un récit onirique intitulé «À travers l'Égypte en aéroplane», G. Patoucompté est statisticien et J. Étais signe une parodie en langue québécoise de la légende grecque de Phaéton, etc. Le journal se présente comme l'«organe de Pinereaultville» (dont l'orthographe ne varie pas moins de cinq fois à l'intérieur des différents numéros), qui désigne l'ensemble du séminaire, divisée en «neuf provinces qui portent différents noms d'après l'industrie à laquelle on s'y livre: Classe française, Éléments, Syntaxe, Méthode, Troisième, Belles-Lettres, Rhétorique, Philosophie et Pinereauville proprement dit...», c'est-à-dire la classe de philosophie. Quant aux différentes matières à l'étude, elles sont groupées sous la rubrique «Dans nos théâtres: Chimioscope, Philosophioscope, Astronomioscope, Physicoscope, Mathicoscope, Philoso-Géométrioscope et Mécanicoscope»; les «répétitions» représentent les cours et les «grandes revues» les périodes d'examens, le tout sous forme de programme annoncé comme chant, chœur, duo, morceau de piano et même symphonie, comédie-ballet, conférence, dissertation et réfutation de thèse. Pour Coderre, le seul but est d'amuser les confrères de classe qui sont la principale cible de ses visées humoristiques, sans qu'il s'oublie lui-même dans la foulée.

Le Mercredi offre aussi des éditoriaux, des informations, des avis aux lecteurs et des affaires municipales qui sont le lointain prélude aux futurs poèmes politiques de *J'parl' pour parler.* Les annonces publicitaires et les chroniques de sport sont illustrées de «photographies» qui sont en fait des croquis caricaturaux issus de la plume de Coderre.

Parmi toutes ces facéties de collégien apparaît une note discordante qui porte le nom de Voistout Châtie, dit «le Vengeur», un «adversaire de Mr. Montenhaut» avec qui il semble être en guerre ouverte: «M. Châtie [...] m'accusait il y a quinze jours de ne pouvoir payer mon loyer, et mercredi dernier il m'accusait d'être du pouvoir et de recevoir des subsides!!!» Les propos malveillants de ce condisciple viseraient la situation particulière de Coderre, orphelin sans famille connue, ce qui ne manquait sans doute pas de soulever certaines interrogations dans son entourage. Néanmoins, lorsque Voistout Châtie reviendra à la charge quelques semaines plus tard, Coderre, fidèle à sa manie de voir du comique dans les situations les plus désagréables, tournera à son avantage les nouveaux commérages de son ennemi personnel: «J'ai appris de source certaine que des mauvaises langues (elles se connaissent celles-là) ont accusé *Le Mercredi* de ne pouvoir payer son loyer, et attribuent à cela notre récent déménagement. Évidemment, celui qui a le premier porté cette accusation n'avait pas du tout réfléchi. Est-ce qu'un journal est dans un état assez précaire pour ne pas payer ses termes, quand il se voit obligé de refuser des abonnés, quand il perfectionne à chaque instant ses instruments, quand il engage de nouveaux reporters? Je ne serais pas surpris que celui qui accuse *Le Mercredi* ne soit quelque journal du parti démocrate qui veut absolument mordre nos lauriers.»

Seuls les quatorze numéros de la deuxième année du *Mercredi* ont été conservés, et ce grâce à la confiscation du journal par les autorités du Séminaire, au printemps de 1912, deux mois avant que Coderre ne termine ses études. En contrevenant ainsi au règlement, il risquait le renvoi, mais fort heureusement pour lui, les abbés avaient le sens de l'humour et conservèrent le journal dans leurs archives où il se trouve encore aujourd'hui.

La poésie

Avec l'écriture satirique et humoristique du *Mercredi*, Émile Coderre, à dix-sept ans, avait déjà trouvé un des aspects essentiels de son tempérament d'écrivain. Il s'en éloignera pourtant pour n'y revenir que quelques années plus tard, après un détour qui a pour nom le vers classique.

Une première tranche de dix années s'écoulera entre sa sortie du collège en 1912 et la publication en 1922 des *Signes sur le sable*, premier et unique recueil de vers classiques d'Émile Coderre et le seul de ses livres qu'il signera de son vrai nom.

En 1912, Coderre revient à Montréal, et le nouveau bachelier ès arts se voit placé devant l'obligation de gagner sa vie et de prendre une décision quant à son avenir. Des difficultés matérielles nouvelles se présentent alors, car ses parents adoptifs ne peuvent désormais plus rien pour lui. Ses excellentes notes en chimie l'y prédisposant (premier prix en 1912), il se décide à étudier la pharmacie, c'est-à-dire à marcher sur les traces de son père, ce père qu'il avait à peine connu et qui était pharmacien comme deux de ses frères! «Tout le monde croyait que je ferais tout de suite un journaliste et un littérateur. Mais j'étais timide et j'étais pauvre. Au lieu de me lancer dans la carrière que j'aimais le mieux, je pris celle que je croyais la plus appropriée à mon état de fortune[4].» Il

---

4. «Biographie par l'auteur», dans *Bio-bibliographie d'Émile Coderre* par Rita Simard, École de bibliothécaires, Université de Montréal, 1942.

s'inscrit donc à l'École de pharmacie de l'Université Laval à Montréal, sise alors rue Saint-Denis. Pour payer ses cours, il débute en août 1913 à la pharmacie Nault, rue Sainte-Catherine Est, où, dit-il, «[il] travaillait seize heures par jour à 2,50 $ par semaine[5]».

C'est durant ces années où il prépare sa licence en pharmacie que s'élabore la majeure partie des *Signes sur le sable*. Il habite alors une mansarde, rue Bonsecours. Sa nouvelle vie où la sécurité quotidienne n'est plus assurée, l'obligation de se débrouiller seul pour ce jeune étudiant timide lancé dans l'existence avec toutes les interrogations que cela comporte, font naître sous sa plume des poèmes qui évoquent la solitude, l'incertitude devant la vie et même une angoisse qui parfois touche au désespoir. La recherche de l'amour semble avoir été le chemin le plus douloureux qu'il ait suivi. *Les signes sur le sable* renferment l'histoire voilée d'un premier amour brisé par la mort prématurée de l'aimée. Nulle part ailleurs, hormis dans ce recueil, Coderre n'y fera allusion. S'agit-il de cette jeune fille que représente une photographie dans un de ses albums personnels et sous laquelle il a inscrit cette simple information: «Corinne. Décédée 29 nov. 1915»?

Cependant, la partie centrale des *Signes sur le sable* réunit les poèmes écrits pour celle qui allait être pendant près de cinquante ans l'épouse bien-aimée d'Émile Coderre: Rose Marie Délisca Tassé. Le recueil lui est dédié comme il en sera de tous les autres livres signés Jean Narrache, avec cette formule invariable: «À ma vieille, à la compagne toujours jeune, toujours adorable de mes bons et de mes mauvais jours.» Cet amour, survenu à point nommé et qui semble avoir été sans nuages, on le retrouve par touches discrètes et clairsemées dans l'œuvre ultérieure de Coderre. La

5. «Un coin du quartier Saint-Jacques», causerie présentée au Cercle universitaire, le 11 février 1952. Fonds Bibliothèque nationale du Québec.

persistance immuable de la formule de dédicace en tête de chaque volume atteste à sa manière de la force des sentiments qui unissaient ces deux êtres et qu'au commencement comme à la fin le poète aurait pu résumer en ce seul vers beau et simple:

> Je sens toujours en moi le même amour profond[6].

Des très nombreuses lettres qu'il écrivit à sa femme tout au long de sa vie, deux seulement nous sont parvenues à ce jour, et il suffit de l'extrait suivant pour se demander si nous n'avons pas perdu là un des beaux chapitres de notre littérature épistolaire:

> Québec, 19 septembre 1955 — 11.45 P.M. Ma bien chère adorée, je viens de te jaser au téléphone et je veux ajouter quelques mots avant d'aller dormir. Je suis si peu habitué à me sentir loin de toi que je trouve les heures longues dès que les tracas de la journée me laissent!... Nous fêtons, séparés l'un de l'autre, notre anniversaire de mariage, comme presque tous les ans et c'est ce qui m'empêche davantage d'aimer cette fameuse semaine des examens. Tout de même, sois assurée que je ne t'oublie pas et que je nous souhaite encore de nombreux anniversaires... Je t'envoie mon plus tendre baiser et mon meilleur bonsoir, ma bien chère adorée! Ton Émile.

L'ensemble des *Signes sur le sable* offre peu de pièces remarquables et les réticences des critiques de l'époque restent valables aujourd'hui. Cependant, ici et là, quelques passages esquissent de loin le programme du futur poète des humbles: «[...] je défendrai mes frères [...] comprenant leur âme et sentant leur douleur...», et dans «Nocturne de novembre» qui clôt presque le recueil on lit cette strophe:

---

6. «Le temps d'aimer», dans *Les signes sur le sable*, 1922, p. 69.

Écoute autour de toi l'écho d'une rumeur
Douloureuse et plaintive, affolée et sublime,
Qui monte de la nuit comme d'un noir abîme:
C'est l'univers souffrant qui jette sa clameur.

Peu à peu Coderre effleure la corde sensible qui, des années plus tard, fera vibrer à plein sa vérité poétique. En attendant, il se marie le 19 septembre 1921, année où il est licencié en pharmacie. Il est alors gérant de la pharmacie du docteur J. A. Trempe, au 2217 rue Saint-Jacques, dans le quartier Saint-Henri. On trouve dans son recueil deux allusions piquantes relatives à sa profession de pharmacien:

Pharmacien que le sort condamne pour toujours
À tracer ce seul vers de ma plume qui grince:
«Prendre une cuillerée à thé trois fois par jour»!

Et plus loin, parodiant le style des *Nuits* de Musset, cette admonestation qu'il reçoit de Dame Raison:

Ah! ça! te crois-tu donc poète?
Pourquoi pas même parnassien!
En vain, tu te creuses la tête,
Tu seras toujours pharmacien.
Au lieu de pincer de la lyre
Devant la lune comme un sot,
Fais de l'onguent et des collyres,
Fais des cachets et du sirop!
Prends ton pilon et tes spatules,
Roule des strophes de pilules,
Poète, et me donne un baiser...!

C'est alors que commence seulement pour Coderre le véritable travail qui fera de lui un authentique poète, et ce travail il est loin de se douter que ce n'est pas la plume à la main qu'il s'accomplit mais derrière son comptoir de pharmacie. En 1922, chaque jour dans sa pharmacie de Saint-Henri, Coderre se prépare à devenir Jean Narrache, premier poète populiste du Québec.

Mais encore, les choses ne se passeront-elles pas aussi simplement. Dès 1924, sa santé fragile l'oblige à abandonner la pharmacie. Le voici contraint de quitter Montréal pour aller travailler au grand air. Ses connaissances en chimie lui restent d'une grande utilité bien que dans un autre champ d'activité puisqu'il devient voyageur de commerce pour la compagnie de peinture Martin-Senour qui possède des succursales d'Halifax à Vancouver, compagnie pour laquelle travaille déjà son beau-père. Pendant quinze ans, Coderre sillonnera tout le Québec, en train ou en carriole, donnant notamment des conférences dans les écoles techniques sur la fabrication des peintures et vernis. Et c'est au cours de ces années de pérégrinations à travers le Québec, durant ces longues périodes loin de Montréal, astreint à un travail qui ne le passionnait guère, alors qu'il occupait ses interminables soirées dans des hôtels sans confort à la lecture et à sa passion toujours tenace, la poésie, que Coderre a commencé à écrire en langue populaire. D'après la correspondance avec Alfred DesRochers, le style et le pseudonyme de Jean Narrache existaient déjà au printemps de 1926. Pourtant, le journaliste Georges Berthiaume rapporte dans un article publié le 16 janvier 1941 dans *L'homme libre*: «C'est en 1929, un jour qu'il était grippé, qu'il se mit en frais d'écrire, en style manch' de ch'mise' qu'on appelle, des vers sur la vie des ouvriers. Lui-même, à cette époque creuse de sa vie, en arrachait, me dit-il. Et c'est en écrivant les vers suivants:

> D'pus c'temps-là, J'EN ARRACHE à vivre,
> Autant qu'un' puc' su' un chien d'bois...

que lui vint l'idée du pseudonyme qui est à le rendre célèbre aujourd'hui. Ce pseudonyme, en même temps qu'il était bien trouvé, illustrait parfaitement sa situation d'alors.» En fait, ces propos font allusion à une pneumonie qui a obligé Coderre à être au repos de la mi-novembre 1928 à la mi-mars 1929 et d'où sont sortis de nombreux poèmes.

L'influence littéraire de Jehan Rictus ne peut être étrangère à cette nouvelle orientation du style d'écriture de Coderre. Inévitablement, tous les critiques de l'époque ont souligné la parenté des deux poètes, avec parfois une insistance qui leur cachait l'originalité propre de Narrache, assez éloignée de son modèle littéraire. Il suffit de lire l'un et l'autre pour voir que ce qui les rapproche compte moins que ce qui les distingue, tant le populisme montréalais de Jean Narrache au début des années trente diffère du populisme parisien de Jehan Rictus au début du siècle dernier. Cela tient notamment à ce que Rictus chante d'abord son expérience personnelle de la misère tandis que Narrache chante surtout la misère des autres.

L'année 1929, c'est aussi l'année de la crise économique qui fera sentir ses secousses dans le monde entier (le krach financier de Wall Street a lieu le 24 octobre). Mais Coderre n'a pas attendu cet événement pour prendre conscience de la misère humaine autour de lui. À ce moment-là, la pauvreté grandissante qu'il observe vient faire le lien dans son esprit avec celle, déjà alarmante, qu'il a rencontrée face à face et coudoyée du temps de sa pharmacie à Saint-Henri. Comme il l'expliquera souvent par la suite, c'est là que son inspiration a trouvé sa source. «D'aucuns ont dit de Jean Narrache qu'il s'était penché sur la misère pour la mieux voir et la mieux comprendre. Non! Jean Narrache n'a pas eu besoin de se pencher; il était au niveau de la misère; il n'a eu qu'à regarder autour de lui et en lui[7].»

---

7. «Qui est Jean Narrache?», causerie prononcée à la Bibliothèque municipale, le 13 novembre 1947, et reprise dans *Bonjour, les gars!*, Éditions Fernand Pilon, 1948.

Si, dans un premier temps, Rictus révèle à Coderre que la poésie authentique peut s'exprimer autrement que par le langage classique, pour ce dernier, l'écriture en langue populaire n'aurait d'abord été qu'un jeu, un essai, un divertissement fait pour soi seul. Au fur et à mesure qu'il soumet ses poèmes à l'appréciation de ses amis, ceux-ci s'enthousiasment de plus en plus, et Alfred DesRochers raconte qu'il lui fallut employer «PRESQUE la force[8]» pour décider Coderre à publier ses vers.

À la fin de juillet 1932 paraît *Quand j'parl' tout seul*, signé du pseudonyme de Jean Narrache, illustré par Jean Palardy. Que représentait de nouveau dans le Québec d'alors un tel recueil pour justifier le formidable succès de librairie qu'il obtint puisque les mille premiers exemplaires se vendirent en un mois et que les rééditions successives portèrent à six mille — phénomène sans précédent — le nombre d'exemplaires vendus? *Quand j'parl' tout seul* apportait la révélation d'une pensée nouvelle dans une langue nouvelle — choses que tout le monde côtoyait sans s'y arrêter — toutes deux élevées au rang de poésie. Tous sont alors frappés par la critique sociale de Narrache, par la vérité des tableaux qu'il peint et du personnage d'ouvrier pauvre qu'il campe. Plusieurs critiques reçoivent avec étonnement cette langue populaire dont ils semblent découvrir tout à coup l'originalité de pensée et les richesses d'expression par la forme rimée que vient de lui donner Jean Narrache. Faisant allusion à la crise économique qui a pu favoriser le succès de son ouvrage et aurait pu n'en faire aussi qu'un livre de circonstances, le poète précisera que *Quand j'parl' tout seul* est «le cri des gueux pour qui la vie n'est pas une crise momentanée mais une crise perpétuelle; le cri de ceux que l'on n'écoute jamais; le cri de ceux dont

8. «40 ans de poésie au Canada français», dans *Huit conférences du club musical et littéraire de Montréal, 1953-1954.*

la plainte, tour à tour gouailleuse ou résignée, reste sans écho dans une société qui semble s'en moquer[9]!»

Porte-parole du pauvre, Jean Narrache l'est au sens le plus précis du terme. La langue populaire est devenue son outil de témoignage et d'engagement. *Quand j'parl' tout seul* contient un drame de la parole et de la solitude, à la fois monologue à voix haute et soliloque intérieur de l'isolé, du déclassé, du marginal, tenu dans les griffes de la pauvreté qui réduit son droit à s'exprimer quand elle ne le lui confisque pas.

Les proses

L'année 1932 met en place les principaux éléments qui constitueront la carrière littéraire de Jean Narrache. C'est d'abord l'année où il fait ses premières armes à la radio. Quelques mois avant la parution de *Quand j'parl' tout seul*, il participe, le 12 avril, à l'émission *L'heure provinciale* de CKAC, à une causerie qui a pour sujet François Villon et ses vers. En octobre suivant, et jusqu'à la fin d'avril 1933, toujours à la station CKAC, il collabore avec Robert Choquette à l'adaptation des *Trois mousquetaires*, s'initiant ainsi à l'art du dialogue radiophonique. En octobre 1932, toujours en plein succès de *Quand j'parl' tout seul*, Jean Narrache est joué pour la première fois sur scène, au Monument-National, avec *La corvée*, pièce folklorique que Conrad Gauthier lui avait demandée pour ses «Veillées du bon vieux temps». Bien des années auparavant, en 1924, il avait transcrit en alexandrins un acte en prose de son ami Aimé Plamondon de Québec, *Oh! ces artistes!!*, et dont un extrait fut joué, en 1932 également, au palais Montcalm. L'année suivante, ce sera *La grand' demande* et *La guignolée*, toujours au Monument-National.

9. «Interview... au poste de Radio-Canada CBF», dans *La Vie nicolétaine*, mars 1938, p. 101

La fin de l'année 1932 lui offre également ses premières chances de conférencier. L'habitude de parler en public dans les écoles techniques l'ayant fort heureusement préparé à ce nouveau rôle, le 15 décembre, dans les salons de l'hôtel Windsor, il explique devant la Ligue de la jeunesse féminine le personnage de Jean Narrache. Dans les premiers mois de 1933, il donne, à l'Alliance Arts et Lettres, une conférence intitulée «Les contremaîtres de la littérature», exposé plein d'esprit où il règle ses comptes avec une certaine critique littéraire. C'est la suite et la fin de sa riposte à Claude-Henri Grignon, dit Valdombre, qui, dans les colonnes du *Canada*, l'avait outrageusement accusé d'être «plagiaire et profanateur» de Jehan Rictus, ce qui avait suscité un tollé de protestations.

Durant l'année 1932, Jean Narrache s'essaie également à un roman qu'il intitule *Claquemurée!* et qu'il sous-titre *Journal de jeune fille*. En effet, depuis 1929, la correspondance avec Alfred DesRochers fait état de la préoccupation constante de Coderre d'écrire un roman. Après deux essais inachevés, c'est *Claquemurée!*, histoire d'une jeune villageoise «mélancolique, romanesque, tout imbue de mysticisme», torturée par «le désir fou d'être aimée» et le rêve de s'évader vers la grande ville. Pour sa création romanesque, Coderre a voulu se dégager radicalement de son personnage de gueux. Mais l'auteur n'ira pas au-delà des cinquante premières pages de son roman qu'il abandonnera au milieu de l'année suivante, malgré les encouragements de son ami DesRochers.

Enfin, en janvier 1933, Jean Narrache revient au journalisme, là même où sa passion pour l'écriture a pris naissance sous cette forme, c'est-à-dire au sein de son «alma mater», avec *La Vie nicolétaine*, mensuel des anciens du Séminaire de Nicolet auquel il collaborera plus ou moins régulièrement jusqu'en 1962. Il y publiera divers articles, des poèmes et quelques conférences, dont celle de 1935 «sur la part du Séminaire de Nicolet dans la poésie canadienne» où, à côté des poètes du terroir dont il parle, il se définit plutôt, lui, comme «poète... du trottoir».

Mais ce n'est pas avec les six mille exemplaires vendus de *Quand j'parl' tout seul*, étalés sur plusieurs années, ni avec les quelques conférences qu'il prononce ici et là, ou les émissions de radio qu'il fait sporadiquement, et encore moins avec les articles qu'il écrit de temps à autre dans des journaux et revues que Jean Narrache peut vivre de sa plume. Voilà pourquoi, régulièrement, il reprend son poste de commis voyageur qui le mène parfois jusqu'en Abitibi.

Cinq années s'écouleront avant qu'il ne publie un nouveau livre. En octobre 1937 paraît *Histoires du Canada... Vies ramanchées...* Il ne s'agit plus ici de poésie mais de prose, et presque exclusivement de dialogues. De l'aveu même de l'auteur, le manuscrit a été «terminé à la hâte», et sa lecture n'a aucune peine à nous en convaincre. Résultat: «[...] bouquin mal fait, illustré d'une façon affreuse... Il contient toutefois en germe le mépris profond que j'ai pour l'histoire officielle écrite non pour relater les événements mais pour prouver quelque chose. C'est le cas de toutes les histoires et tout particulièrement de la nôtre[10].» Les *Histoires du Canada* se veulent une entreprise de démystification de l'histoire du Canada en présentant les «vies ramanchées» de certains de ses héros. À la lumière du présent et de l'actualité, Jean Narrache tente d'éclairer le passé et l'histoire. Ainsi, «l'Amérique a été découverte par un voyageur de commerce qui voulait agrandir son territoire», c'est-à-dire Christophe Colomb, «marchand de laine» qui «parlait comme un agent d'immeubles!» Et ainsi de suite pour le sauvage Domagaya, pour Maisonneuve, Laviolette, La Vérendrye, qui en ont assez de se faire raconter leur histoire défigurée dans des discours «patriotards». La cause déclenchante de cette série

10. «Biographie par l'auteur», *op. cit.*

d'histoires vengeresses semble bien être la commémoration du quatrième centenaire de la découverte du Canada par Jacques Cartier, en 1934, et qui sert de pivot au livre de Narrache. Le Canada de Jacques Cartier redécouvert quatre cents ans plus tard par toutes sortes de délégations venues de France fournit à Narrache l'occasion de vilipender l'«à-plat-ventrisme» d'«un lot de gens qui ont honte d'être Canayens au point de vouloir être plus Français que la France». Déjà, dans *Quand j'parl' tout seul*, il avait traité ce sujet avec une ironie cinglante sur le thème de «Nos découvreurs». Jean Narrache n'a pas attendu d'écrire en «canayen» pour adhérer aux valeurs culturelles «canadiennes-françaises» comme on disait à l'époque. Il les défendait déjà avec vigueur du temps où il s'appelait encore Émile Coderre. Non pas qu'il n'aime pas la France, loin de là, et son *Hommage des gueux à la France*, écrit la même année que les *Histoires du Canada*, le prouve. Mais il rejette cette âme française de circonstance dont «on a tellement soin qu'on s'en sert le moins souvent possible pour pas l'user» et que l'on «remet dans les boules à mites» jusqu'à la prochaine fois...

Fait à signaler quant aux inimitiés que lui valurent ces vies qui n'étaient pas ramanchées au goût de tout le monde, longtemps après, Jean Narrache racontera que «l'édition de ce volume a d'ailleurs été achetée par quelqu'un, et on n'en a plus entendu parler[11]». Déjà, l'intervieweur de CBF en janvier 1938 avait mis Narrache en garde contre le «tort immense» que les opinions professées dans ce livre pourraient lui causer:

> Jean N.: Je m'en bats l'œil, vous savez!
> Annonceur: Vous êtes d'une rude indépendance!
> Jean N.: C'est mon privilège de gueux et celui auquel je tiens le plus!

11. «Une visite au "poète des gueux"», dans *La Presse*, 19 août 1961, p. 18.

En septembre 1937, quelques semaines avant la parution des *Histoires du Canada*, le journalisme vient à nouveau solliciter Jean Narrache, mais cette fois-ci pour une collaboration hebdomadaire. À partir de cette date, et pour une période de huit ans, il signera dans *La Patrie du dimanche* une chronique intitulée *J'parl' pour parler, jasette humoristique.* Il renoue avec l'humour, la satire, la verve critique et l'imagination fantaisiste du *Mercredi*, qu'il manie avec l'assurance de la maturité. Ce qui impressionne dans cette vaste chronique, c'est la variété des sujets abordés et la capacité de l'auteur à se renouveler. Les quatre cents articles de *J'parl' pour parler* permettront à Narrache de donner toute la mesure de sa versatilité et même de sa virtuosité à s'exprimer dans tous les domaines possibles et sur tous les tons. La vie quotidienne aussi bien que la science-fiction, le coq-à-l'âne et le conte drôlatique, les aphorismes philosophiques et les péripéties de sa vie de commis voyageur ne sont que quelques aspects de ces «jasettes humoristiques». Diverses sous-chroniques reviennent régulièrement, telles l'appréciation littéraire, la radio, le courrier des lecteurs; sans oublier la chronique du chat Chiffon, le chat de Jean Narrache qui, en l'absence de son maître, ne dédaigne pas de mettre sa griffe au dactylo et reçoit lui aussi du courrier... Quant à la politique, nationale et internationale, étant donné la conjoncture de l'époque, le chroniqueur ne peut manquer d'y faire allusion à tout moment...

On peut ne pas être toujours d'accord avec les opinions que professe Narrache, n'empêche qu'il n'est jamais banal et qu'il reste toujours spirituel. Avec l'humour, l'entrain et la belle qualité de maintes réflexions, la poésie est un des éléments qui ont le mieux contribué à mettre ces pages à l'abri du temps.

J'parl' pour parler

J'parl' pour parler servira également de titre au second recueil de poésies de Jean Narrache, publié en avril 1939 et illustré par Simone Aubry. Est-ce parce que nous sommes alors à six mois d'une guerre qui paraît désormais inévitable et qui mobilise les esprits que *J'parl' pour parler* n'aura pas la campagne de presse qu'il méritait? Ou est-ce parce que le charme de la nouveauté que constituait *Quand j'parl' tout seul* n'opérait plus? Sept années séparent les deux recueils, et entre-temps Narrache n'a publié qu'un livre de dialogues humoristiques. Il profite du moment où sa chronique hebdomadaire de *La Patrie du dimanche* remet son nom dans l'esprit du public pour donner ce nouveau recueil dont le titre est déjà répandu depuis huit mois.

«Plus violent et plus direct que *Quand j'parl' tout seul...*» Voilà comment Narrache résume lui-même *J'parl' pour parler*. La critique a tellement dit et répété que la violence verbale et l'esprit de contestation étaient bannis de *Quand j'parl' tout seul*, où dominerait cette fameuse résignation que Narrache dénoncera comme «notre incurable apathie», qu'elle est restée sourde aux éclats de voix et aux cris de colère qui forment toute la première moitié de *J'parl' pour parler*. Le contenu du recueil est exactement l'inverse de ce que paraît annoncer le titre. C'était là une sorte de piège, car Jean Narrache, pour pouvoir dire autant qu'il veut dire et se sentir plus à son aise, gardera toujours la curieuse habitude de se présenter sous des apparences qui amoindrissent la réalité. Jovette Bernier a souligné que «c'est un titre qui donne plus qu'il ne promet». D'une expression péjorative, le poète fera «la formule de délivrance» dont parlait Novalis[12], et jamais

---

12. Cité par Jacques Blais dans *De l'ordre et de l'aventure*, Presses de l'Université Laval, 1975, p. 176, note 35: «[...] la phrase de Novalis: "Parler pour parler, c'est la formule de délivrance"...»

plus que dans *J'parl' pour parler* Jean Narrache n'aura parlé en connaissance de cause.

Chacun des sept quatrains de la pièce liminaire débute par la formule «j'parl' pour parler» dont le poète, de strophe en strophe, comble la vacuité par une notion vitale d'espoir et de solidarité, prenant le dessus définitif sur les grands usurpateurs de la parole que sont «ceux qui parl'nt pour s'faire élire». De «quand j'parl' tout seul» à

> J'parl' pour parler pas rien qu'pour moi,
> Mais pour tous les gars d'la misère;
> C'est la majorité su' terre.
> J'prends pour eux autr's, c'est ben mon droit.

en passant par

> J'parl' pour tous ceux qui parl'nt jamais!

L'attitude n'est plus la même et le propos infiniment plus direct. Des liens se sont resserrés en même temps qu'un cercle a été franchi. Les effets s'en feront sentir dans les poèmes suivants où la contestation et la dénonciation prendront un tour véhément, inattendu. Parler pour parler devient un acte de fraternité, et plus question désormais de «renfrogner nos cris» et encore moins de «rien dir' pis s'conformer». Parler pour parler aboutit à un «droit», le droit de se défendre et de protester, le droit de faire entendre au moins ce que l'on a à dire même si rien au dehors ne change. C'est de l'intérieur qu'agit la formule de délivrance.

Sa critique sociale atteindra son point culminant dans l'impressionnante «Prière devant la "Sun Life"», clé de voûte de *J'parl' pour parler*. Cette «prière» est en fait une invective dirigée contre toute une série de prétendus «gens de bien» qu'elle frappe d'une opprobre sans merci: «... la main su' l'coeur...», elle s'engage sur la véracité de tout ce qu'elle dénonce. Le sens hautement ironique du titre apparaît dès que l'on s'engage dans les cinquante-neuf octosyllabes de cet acte d'accusation proféré devant un édifice aussi profane que celui de la Sun Life, importante compagnie d'assurance-vie et symbole de réussite financière... Seul l'alibi de la «prière» permet à Narrache de donner la mesure de sa révolte qui s'en remet au jugement de Dieu parce qu'elle sent son impuissance à changer les choses; elle reste revendicative sans chercher à tourner à la propagande, car l'action que vise Narrache est avant tout d'ordre moral plutôt que d'ordre politique.

Parmi les critiques de l'époque, seul Émile-Charles Hamel relève ce poème singulier auquel les circonstances, il est vrai, l'avaient déjà préparé. «Rarement a-t-on vu charge plus audacieuse que *Prière devant la «Sun Life»*! Cette pièce avait créé toute une sensation quand son auteur l'avait dite lui-même au Gala de la poésie en 1937; qu'on la lise, et qu'on la relise, l'effet demeure aussi fort...[13]»

Toujours dans la perspective sociale, *J'parl' pour parler* insiste sur la condition de l'artiste, et plus précisément du poète, sur laquelle Jean Narrache reviendra souvent et que *Quand j'parl' tout seul* évoquait dans «À la mémoire de Crémazie» où le poète n'est compris et célébré qu'après sa mort:

> Mon pauv' Octav', c'est ça la Gloire!
> Tu te d'mand's ben à quoi ça sert;
> La Gloir', mon vieux, c'tun' drôl' d'affaire,
> C'est d'la moutarde après l'dessert.

Ce à quoi la virulente «Engueulade à un idéaliste» de *J'parl' pour parler* fait écho en ces termes:

> L'Idéal, c't'un' chose embêtante;
> C'est beau d'en avoir tout son saoul,
> Mais pour s'ach'ter un' «bean saignante»,
> L'Idéal, ça vaut pas trent' sous.

13. «J'parl' pour parler», dans *Le Jour*, 6 mai 1939, p. 2.

Bref, la condition sociale de l'artiste, du poète qui veut vivre exclusivement de son art, se résume tout simplement à «crever d'faim»: «[...] t'es rien qu'poète, /Comme attraction, t'as pas d'valeur.» Ce n'est pas là le mythe de l'artiste pauvre, c'est la plus concrète des réalités. Narrache y revient dans sa «Jasette à saint François d'Assise» où il se montre beaucoup plus sûr de sa condition de «quêteux» que de poète:

> L'hiver, quand j'gèl' su' ma paillasse,
> L'inspiration s'en va r'voler.
> J'me chauffe au feu d'l'enthousiasse,
> Ça fait qu'mes vers ont les pieds g'lés.

Une autre jasette, à «Notre-Dam' des Malchanceux» cette fois, complétera l'image du poète telle que se la représentait et la vivait Jean Narrache:

> Oui! j'fais des vers, j'barbouill' des livres!
> J'mourrai, comme ils dis'nt, indigent:
> Mais j'm'en fous! j'ai l'plaisir de vivre
> Sans perdr' mon temps à fair' d'l'argent.

Et voilà pour «les gars aux goûts littéraires/qu'ont l'cœur trop plein et l'ventr' trop creux[14]».

Ce que *J'parl' pour parler* apporte de neuf, aussi, c'est un approfondissement de l'inspiration religieuse de Jean Narrache. Celle-ci occupe presque toute la seconde moitié du recueil avec, notamment, «Conte de Noël» et surtout «Méditations d'un gueux au pied de la croix», deux longs poèmes de 142 et 160 vers respectivement. La critique contemporaine n'a pas accordé suffisamment d'importance à ces deux poèmes qui s'écartent de la manière habituelle de Narrache. L'action et la mise en scène du «Conte de Noël», la simplicité de la narration et le ton de vérité qui s'en dégage, le

14. *J'parle tout seul quand Jean Narrache*, Éditions de l'homme, 1961, p. 25.

déroulement de chacun des tableaux et l'intensité de leur réalisme en font un coup de maître. Chaque mot de ce conte donne l'impression que l'événement a été vécu jusqu'à la moelle des os. Nous sommes de plain-pied avec l'auteur dans cette nuit glaciale de Noël où il recueille une petite fille mourant de froid dans la neige. Le merveilleux habituel des contes de Noël n'apparaît que dans les tout derniers vers où la coïncidence entre le vœu émis par l'enfant de «r'trouver sa moman» qui «dort au cimetière» et sa mort quasi immédiate dans les bras du narrateur suggère l'idée d'une intervention divine. Conte de la pitié pour les plus pauvres parmi les pauvres, ce poème donne la mesure du talent de conteur de Jean Narrache quand il laisse de côté le piquant et l'ironie.

«Méditations d'un gueux au pied de la croix» est le plus long poème écrit par Jean Narrache. Il y tenait beaucoup et il y a longuement travaillé. Seul poème pour lequel il publiera en revue plusieurs esquisses assez importantes, et dont le texte final ne sera donné qu'en 1948 dans *Bonjour, les gars!* avec un rajout de 46 vers. Plus qu'une paraphrase en langue populaire de la Passion du Christ, «Méditations d'un gueux au pied de la croix» est une vision, une vision semblable à celles de certains mystiques:

> J'suis avec vous, vous êt's vivant;
> J'vous suis partout, j'peux vous entendre...

Transporté en esprit par sa méditation, le gueux s'exprime en véritable témoin oculaire. Il transmet sur le vif toutes les émotions qui le traversent, émotions qui atteignent directement le lecteur qui devient à son tour visionnaire. Le gueux commente tout ce qu'il voit, fait des réflexions d'une grande pertinence sur la foi personnelle et propose cette intéressante digression sur le pourquoi de la mise à mort du Christ:

Votr' tort, Seigneur? C'été, par 'xemple,
De chasser les banquiers du temple!
C'est là qu'votr' trouble a commencé.
Tant qu'vous avez rien qu'bavassé
D'amour, de bonté, d'espérance,
Ça leur dérangeait pas la panse.
Ils vous prenaient pour un jaseur,
Un fou, un poète, un rêveur.
Mais, vous l'z'avez pincés dans l'maigre,
Ces honnêt's messieurs d'la Haut' Pègre,
En bousculant leurs coffres-forts!
C'pour ça, Seigneur, qui veul'nt votr' mort...

L'on passe à côté des plus belles qualités de ce poème si l'on n'a pas tant soit peu le sens de la divinité du Christ ou tout au moins celui de la grandeur émouvante de sa personne. Il ne faut surtout pas restreindre les dons de poète de Jean Narrache en lui refusant le droit de s'évader de ses propres clichés. Plus fidèle que jamais à son parti pris pour les opprimés, il a voulu témoigner de sa foi sur le ton approprié dans une de ses plus authentiques réussites.

Devant ce poème, Clément Marchand déclarait avec clairvoyance que «le talent de Jean Narrache s'est approfondi et s'est raffermi» et qu'il «demeurera une de ses plus belles pièces[15]...» Dès la parution du recueil, Alfred DesRochers, lui, est allé droit à ce poème: «"Méditations d'un gueux au pied de la croix" est bien le poème de thème catholique le plus empoignant jamais écrit dans le Québec et probablement au nord du Rio Grande. C'est d'une inspiration vraiment sœur de celle des bâtisseurs de cathédrales gothiques[16]».

---

15. *Le mauricien*, 1937.
16. «Trois vrais poètes», dans *La Tribune*, 22 avril 1939, p. 7.

La radio

Lorsqu'au printemps de 1932 Émile Coderre met les pieds pour la première fois dans une station de radio, il ne se doute pas à quel labeur il se prépare ni non plus quelle popularité il allait atteindre. De très nombreuses émissions allaient naître sous sa plume dont certaines seraient parmi les plus écoutées du Québec.

La quasi-totalité de l'œuvre radiophonique de Jean Narrache sera diffusée par les stations CKAC et CBF. Mais c'est d'abord à CKAC, où l'a introduit son ami Robert Choquette, que dans les six premières années il apprend son métier. Sans que jamais ne soient négligés des aspects plus poétiques ou plus sérieux, l'humour domine nettement dans les quelque six mille pages que Narrache écrira pour la radio. Parmi ses premiers textes, on regrette de ne pouvoir lire aujourd'hui ceux de *À la savate Fa-si-la-si-ré* (!) qu'il désignera aussi sous le titre du *Vieux savetier* et qui était «l'histoire d'un vieux cordonnier qui habitait dans un sous-sol. En regardant les passants, à travers sa fenêtre, il jugeait l'âme des gens par... leurs souliers[17]». Il travaille en collaboration, rédige ses premiers contes et radio-théâtres, donne de nouvelles causeries. En 1938, alors qu'il vient d'entamer sa chronique hebdomadaire à *La Patrie du dimanche*, la radio s'emparera véritablement de lui, et cela pour une période de dix ans. Cette année-là, CBF et CKAC se partagent Jean Narrache qui, après avoir donné à la première une longue interview, y fait ensuite une série de seize causeries: *À travers mon chapeau.* Il y était question, paraît-il, d'actualités et de politique. Le reste de l'année se passe à CKAC où il collabore au *Carrousel de la gaîté.*

À l'automne de 1939, Coderre devient directeur de rédaction de la revue *Le Pharmacien* à laquelle il

17. «En causant... avec Jean Narrache!» dans *Radiomonde*, 9 mai 1942, p. 5.

donnera, jusqu'aux années soixante, des douzaines d'articles. Cette nomination qui s'ajoute à la reprise de ses activités radiophoniques n'est sans doute pas étrangère au fait que, après quatorze ans, il met fin à ses pérégrinations de commis voyageur. Dès lors, la pratique des vers s'estompant, l'écriture radiophonique, journalistique et pharmaceutique forme la trame de l'activité littéraire de Jean Narrache. Pour la première fois, écriture et pharmacie, les deux passions de sa vie, se rencontrent et se conjuguent pour devenir son gagne-pain. Le pharmacien signera nombre de ses articles de son fameux pseudonyme qu'il met au service de la noble profession qu'il défend, heureuse, elle, d'accueillir «le poète des gueux».

Les années 1940 et 1941 verront la création de deux des séries d'émissions les plus fameuses de Jean Narrache. Ce sera tout d'abord *Les rêveries de Jean Narrache*, monologues lus par l'auteur lui-même, que chaque mercredi soir, de 11 h 30 à minuit, CBF diffusera d'octobre 1940 à juin 1941, avec des reprises en 1946, 1947 et 1948. Ces monologues sont les rêveries d'un solitaire promeneur citadin. Au début de chaque rêverie accompagnée à l'orgue en sourdine, on aurait pu penser que Jean Narrache revenait d'une promenade, s'égarait dans le studio où, une fois en présence du micro, il fallait bien qu'il parle. Son attitude alors est celle du voisin qui vient passer une partie de la veillée avec vous pour faire un brin de causette. Son monologue, c'est les observations et les réflexions qu'il a tirées de sa balade dans les rues avoisinantes, connues de tous. Le studio offre à Narrache l'isolement nécessaire au ton intime de sa rêverie qu'il débite par plaisir de «parler rien que pour parler, parler comme si personne m'écoutait...», ce qui le met d'autant plus à l'aise que l'auditeur et le narrateur sont invisibles l'un à l'autre. N'empêche que Narrache ne cesse de relancer son auditeur par mille clins d'œil, de le prendre par le bras pour l'emmener faire quelques pas avec lui pour lui chuchoter sa confidence, ou encore d'éveiller son attention par une anecdote ou un bon mot. C'est avec un art subtil que le poète instille sa rêverie dans l'esprit de son auditeur, afin de mieux l'entraîner dans sa propre dérive.

L'ancien commis voyageur s'est fait piéton du grand Montréal, et surtout du Vieux-Montréal, celui de son enfance et de sa vie d'étudiant en pharmacie. Le quadrilatère compris entre les quais du Vieux-Port et le carré Saint-Louis, le pont Jacques-Cartier et le boulevard Saint-Laurent, est l'objet de ses explorations et le prétexte à un retour constant vers le passé. À partir de 1940, Jean Narrache, qui approche de la cinquantaine, ne cessera dans ses monologues, ses sketches, ses causeries, ses articles, d'évoquer ses souvenirs. Une mémoire aussi précise, alliée à tant de saveur dans le détail, et l'évocation de tant de personnages typiques et hauts en couleur, présentés avec une grande fraîcheur, sont un témoignage d'une remarquable réceptivité à la vie ambiante, réceptivité qui n'est autre chose qu'un amour profond de la vie chez cet homme pourtant si enclin à la mélancolie et qui ne manquait jamais de conclure chacune de ses *Rêveries* par la formule «j'aime bien la vie quand même j'en arrache!»

Chacune des *Rêveries* est écrite dans une langue des rues plus souple et plus variée encore qu'elle ne l'était dans les poèmes. Jean Narrache parle le même langage que celui de la catégorie d'auditeurs à laquelle il a choisi de s'adresser. Pour nous qui sommes désormais lecteurs et non plus seulement auditeurs de l'œuvre de Jean Narrache, c'est le pouvoir d'invention, le pittoresque et toute la mentalité d'un peuple que ces monologues nous ont conservés. D'une langue «avariée» à laquelle on ne reconnaissait alors aucune qualité littéraire, Narrache a tiré une poésie authentique, inattendue, destinée à ceux qui n'en avaient pas encore reçu leur part. Il suffit pour s'en convaincre de lire ses pages sur le printemps, sur la musique, sur les sentiers du mont Royal, sur le Montréal nocturne, sur ses promenades crépusculaires dans le Vieux-Port ou dans le Vieux-Québec, pour ne citer que celles-là.

Jean Narrache n'a pas aussitôt terminé sa première série de *Rêveries* qu'à la fin de juin 1941 il enchaîne à CKAC avec une série de *Commentaires* quotidiens qui le mènera jusqu'au milieu du mois de novembre, expérience qui le laissera épuisé... Et pourtant, quinze jours après la fin de ses *Commentaires* débute l'émission *Le vagabond qui chante* qui sera l'une des plus écoutées de la province et qui s'étendra sur une période de cinq ans. Alternativement hebdomadaire, bihebdomadaire et trihebdomadaire, la série donnera près de deux cents émissions d'un quart d'heure. *Le vagabond qui chante* — amalgame de monologues et de chansons — est interprété par Paul-Émile Corbeil, basse chantante et comédien, alors directeur de la programmation à CKAC, «un ami comme on n'en rencontre pas deux dans toute une vie» dira de lui Jean Narrache. Du début de leur amitié en 1932 lors des *Trois mousquetaires* jusqu'à sa disparition prématurée en 1965, Corbeil se fera l'ardent défenseur des textes de Jean Narrache, à tel point que l'on dira que «si Marcel Pagnol a eu un Raimu pour le servir, on peut sans se tromper se demander ce que serait l'œuvre poétique et humaine d'un Jean Narrache sans le talent de Paul-Émile Corbeil[18]?» Rien de plus juste, de plus franc et de plus naturel dans l'intonation que la voix de basse de Paul-Émile Corbeil interprétant les poèmes de Jean Narrache; elle incarne à souhait le climat si particulièrement réfléchi de cette poésie en même temps qu'elle rend toute la souplesse et le charme étonnant de cette langue populaire mais jamais populacière. On pourrait appliquer à cette voix ce que Clément Marchand disait du premier recueil de Narrache: «C'est le robuste chant d'une voix pure.»

---

18. «Paul-Émile Corbeil vit dans l'ombre du vieux "vagabond"» dans *Télé-Radiomonde*, 17 novembre 1962.

Alors que la popularité de Jean Narrache ne cesse de s'affirmer, qu'au seuil de la cinquantaine une relative prospérité semble venir à lui, sa santé se met à décliner de nouveau. À tel point qu'il se voit contraint de s'installer loin de la ville dont l'air décidément ne lui réussit pas.

Au début de 1940, Henri Groulx, ministre de la Santé et du Bien-Être social, avait nommé Émile Coderre bibliothécaire adjoint à la bibliothèque du ministère de la Santé, poste qui sera doublé plus tard de la fonction de traducteur. Les vastes compétences de Coderre dans le domaine pharmaceutique étaient connues dans le milieu et jusqu'à l'Université de Montréal. Au moment où, précisément, sa santé lui cause de nouveaux soucis, le revenu supplémentaire que lui apporte cette nomination va lui permettre d'envisager la réalisation d'un rêve: vivre au bord de la mer. Le printemps de 1942 est une période de dépression pour Narrache. Bien que choyé par la popularité, nous trouvons là un homme plus découragé que jamais devant la vie et plus désabusé que jamais aussi devant son œuvre. Ne lisons-nous pas alors sous sa plume ces phrases étonnantes: «[...] je ne crois pas avoir jamais écrit quoi que ce soit qui vaille... la faveur du public lettré et du gros public reste pour moi un perpétuel sujet de surprise... l'auteur le sait: il déteste royalement tout ce qu'il écrit depuis toujours... on l'a sacré écrivain malgré lui, il faut bien qu'il écrive[19]...»

En octobre 1942, Jean Narrache, sa femme et leur chat Chiffon quittent Montréal pour le Bas-Saint-Laurent. Ils passent l'automne et le début de l'hiver à Saint-André-de-Kamouraska puis s'installeront l'année suivante à Notre-Dame-du-Portage, un village voisin. Là, ils louent une vieille maison que le poète baptise aussitôt «la Gaillarde». Ce n'est pas encore tout à fait la mer, mais la Gaspésie n'est pas loin et, avec un fleuve qui, à cet en-

19. «Biographie par l'auteur», *op. cit.*

droit, fait quinze kilomètres de large, on peut s'y croire. Là, Narrache rêve d'écrire «au moins une page, voire même une demi-page qui vaudrait quelque chose!»: «[...] m'étendre sur la grève immense, regarder l'eau, le ciel, qui se confondent et écrire tout ce que mon émotion pourrait me dicter.» On ne sait si Narrache s'est essayé à cette fameuse demi-page au contenu si précis et pour laquelle il était prêt à renier tout ce qu'il avait écrit jusqu'alors. Mais en parcourant la chronique de *La Patrie du dimanche* et les monologues du *Vagabond* qu'il continuait d'écrire à Notre-Dame-du-Portage, on croit en trouver les traces ici et là, par bribes et même par paragraphes entiers, car nombre de ses impressions du Bas-Saint-Laurent passeront dans les propos du *Vagabond* et se retrouveront jusque dans les ultimes émissions de 1948, alors que Narrache est de nouveau à Montréal et qu'il se souvient...

Au bout de deux années de cette vie paisible et retirée, l'automne de 1944 apporte un changement notable dans le cours des choses. Le retour au pouvoir de Maurice Duplessis fait perdre à Coderre son poste au ministère de la Santé. L'arrogante «Ballade à Baptiste Lerouge» que Narrache avait publiée dans *Le Canada* en novembre 1935 et qui dénonçait alors l'alliance Gouin-Duplessis lui est peut-être revenue à la mémoire:

> Ça m'impressionn' pas leu' chiâlages,
> Leur éloquenc', ça m'fait roter.
> Leu' parti, c'est un attrapage,
> C'est l'parti d'la Duplessité.

De plus, la fin de la guerre approchant et certains «rajustements» devant se faire, on lui apprend que *Le vagabond qui chante* ne sera pas reconduit la saison suivante. La dernière a lieu le 30 mai 1945, peu de temps avant que ne prenne fin à son tour la chronique de *La Patrie du dimanche.* En juin suivant débute à CKAC ce qui sera une des dernières séries radiophoniques de Jean

Narrache, *Les contes de chez-nous*, qui durera un an, où alternent dialogues et chansons. Corbeil fait bien entendu partie de l'équipe qui se compose du quatuor vocal «les troubadours du Vieux-Montréal», d'un narrateur et de divers personnages.

Au mois de novembre, Coderre qui collabore toujours au *Pharmacien*, y apprend par une annonce que le Collège des pharmaciens est à la recherche d'un secrétaire-registraire. Il pose sa candidature, qui est acceptée. En décembre, il entre en fonction. La nécessité de gagner sa vie normalement le ramène donc à Montréal où l'attendent une position et un salaire assurés — pour six mois tout d'abord, car on prend à l'essai le nouveau secrétaire. Il fera tant et si bien ses preuves qu'il occupera ce poste avec honneur durant quinze ans. La tâche de secrétaire du Collège est très absorbante et les divers articles et éditoriaux du *Pharmacien* réclament beaucoup de temps. Néanmoins, du 18 juillet au 3 octobre 1946, CBF offre à Narrache une reprise de ses *Rêveries* dont certaines seront publiées dans *Le Pharmacien.*

L'année 1947 marque une reprise intense de ses activités radiophoniques — reprise qui ira jusqu'à la fin de 1948 et sera la dernière. Après un début de publication en janvier dans *Le Pharmacien*, *Les souvenirs de Jean Narrache, pharmacien* passent sur les ondes de CBF de mars à juin, lus par l'auteur et commandités par la pharmacie Montréal. À la même station, une nouvelle — et dernière — série de *Rêveries* débute au mois d'août pour une durée de seize mois, et en septembre, mais à CKAC bien sûr, c'est le retour du *Vagabond qui chante* jusqu'au printemps suivant.

Alors que son nom est dans toutes les oreilles — ou presque —, en février 1948, Narrache réédite en un seul volume ses deux recueils de poésies qu'il expurge de quelques pièces et auxquels il ajoute sept poèmes inédits, le tout précédé de l'importante introduction «Qui est Jean Narrache?» Le titre du volume, *Bonjour, les gars!*

vient de l'invariable et sympathique formule d'entrée de ses *Rêveries*: «Bonsoir mesdames, bonsoir mesdemoiselles... bonsoir les gars!» La fortune critique du volume n'est pas grande mais il se vend bien malgré les rares nouveautés qu'il apportait.

Le 7 mars 1948 prend fin *Le vagabond qui chante*. Le 7 décembre a lieu la dernière des *Rêveries*. Entretemps, CKAC diffusait du 26 septembre au 26 décembre une série intitulée *Jean Narrache, pharmacien* et destinée à instruire le grand public sur tous les aspects de cette profession. C'est sur cette note que se clôt pour l'essentiel la production littéraire de Jean Narrache. Il a alors cinquante-cinq ans.

Dès lors, il se consacrera entièrement à sa fonction de secrétaire-registraire du Collège des pharmaciens. Peu de pharmaciens ont réussi aussi bien que lui à exprimer leur conscience professionnelle et à élever aussi haut l'estime de leur profession. La fibre humaine qui vibrait en Coderre donnait à tout cela sa valeur première. Son parcours pharmaceutique mériterait à lui seul toute une étude. Bornons-nous à dire que déjà, en juin 1941, alors qu'il est toujours directeur de la rédaction au *Pharmacien*, l'assemblée annuelle des Anciens élèves de l'École de pharmacie vote «une résolution félicitant M. Émile Coderre (Jean Narrache) pour la belle propagande dans différentes revues, aux fins de faire mieux connaître et apprécier le pharmacien auprès de ses confrères des autres professions libérales et auprès du public». Loin d'offrir un aspect secondaire de l'œuvre de Narrache, ses écrits pharmaceutiques l'enrichissent par leur variété et l'éclairage supplémentaire qu'ils jettent sur l'humaniste qu'il était.

Le milieu des années cinquante verra en quelque sorte l'apogée de la carrière pharmaceutique de Coderre. En octobre 1953, l'Université de Montréal le nomme assistant-professeur pour donner quinze heures par semaine de cours de déontologie et de législation pharmaceutique. L'Association des pharmaciens de Montréal le nomme membre honoraire. En 1955, pour le cinquantenaire de la faculté de pharmacie, il donne à l'Université de Montréal une conférence sur un sujet qui lui tiendra toujours à cœur: «L'éthique du pharmacien». En février de l'année suivante, date qui correspond à ses dix ans de service comme secrétaire, lors d'une soirée spéciale, Coderre est désigné «pharmacien de l'année» et honoré comme étant «le pharmacien le plus connu, le plus célèbre de la Province de Québec[20]». Il reçoit alors le traditionnel Mortier d'honneur. «C'est, nous dit-il, l'honneur le plus grand et celui dont [je suis] le plus orgueilleux et le plus touché[21].»

Au début de l'année 1956, on assiste aussi à un des très rares retours de Jean Narrache à la radio. Du 16 janvier au 26 mars, il donne sur les ondes de CBF *Zigzags à travers mes souvenirs: Montréal de 1900 à 1920.* Ce sont des souvenirs qu'il récrit, d'anciens thèmes des *Rêveries* ou du *Vagabond* qu'il reprend et mêle à des textes inédits. Depuis son départ de la radio en 1948, Narrache n'avait produit qu'un radio-théâtre en 1954, *Noël des petites gens*, et le rythme de ses conférences littéraires n'a pas dépassé celui d'une par année, si l'on excepte les causeries sur la pharmacie que son poste de secrétaire l'amène à organiser dans les principales villes de la province.

Au cours de cette décennie, Coderre et sa femme s'offrent le plaisir de quelques voyages: Tadoussac, le Nouveau-Brunswick, la Nouvelle-Écosse, l'Ouest canadien. Si Coderre n'a pas consigné par écrit ses récits de voyage, il en a du moins rapporté quantité de photographies qui attestent son talent de photographe. On y

20. «Une biographie par mois», par Aimé Thibault, dans *Le Galien*, février 1956.
21. *Notes biographiques sur Émile Coderre (par lui-même)*, 1956, Fonds Bibliothèque nationale du Québec.

retrouve la prédilection du poète pour les petites gens et on y découvre l'œil du peintre qui sait cadrer si bien les paysages et les perspectives.

Ainsi va la vie d'Émile Coderre jusqu'en janvier 1961 où, à la veille de ses soixante-huit ans, il demande au Collège des pharmaciens la permission de prendre sa retraite. Le 7 mars suivant a lieu le banquet d'adieu au Club Saint-Denis. Sur le menu spécial imprimé pour la circonstance, on peut lire que ce dîner est donné non seulement en l'honneur du secrétaire du collège mais aussi en l'honneur «de Jean Narrache, poète et conteur». Les organisateurs du dîner ont eu l'amusante idée de donner à chacun des mets le nom d'un des poèmes de Narrache. Ainsi, les paillettes au fromage sont baptisées «Les belles toilettes», les haricots verts «En faut des pauvres», la tomate provençale «En regardant la lune», le baba au rhum flambé «Méditation sur l'hiver» et le café «Assuré contre les accidents»; quand au filet mignon, c'est à lui que revient le privilège de porter le nom de «Jean Narrache»...

Pour sa première année de retraite, loin de prendre des vacances, Narrache s'occupe de rééditer sous le titre *J'parle tout seul quand Jean Narrache* un choix de ses poèmes auxquels il ajoute quatorze pièces inédites, plus deux séries de quatrains. Dans la préface, Narrache constate que «la misère a évolué comme tout le reste, mais [qu']elle n'a pas diminué». Le lancement a lieu le 15 août au Centre de réhabilitation Meurling, ordinairement appelé refuge Meurling, en présence de Charles Renaud, directeur du Service du bien-être social de Montréal, de qui dépend l'administration du refuge. Le tout est présidé par le maire Jean Drapeau. *Le Petit Journal* publie le premier photo-reportage consacré à l'écrivain que l'on peut voir causant avec «un p'tit vieux typique de la rue Saint-Laurent», «dans un fond de cour de la rue Wolfe» au milieu d'une ronde d'enfants, «dans une taverne de la rue Sainte-Catherine» et parmi «ses amis au carré Viger».

Un an plus tard, c'est une nouvelle série de mémoires que Narrache entreprend à CBF sous le titre *Les commentaires de Jean Narrache*, du 15 octobre 1962 au 29 avril 1963. Au début de cette année-là, il publie son second livre en prose, *Jean Narrache chez le diable,* dont le prétexte est le suivant: «Pour me rendre au désir si souvent exprimé par un bon nombre de mes lecteurs et de mes auditeurs à la radio, depuis quarante ans, j'ai enfin décidé d'aller chez le diable». Sous la forme de l'Esprit de Contradiction, celui-ci lui apparaît et l'entraîne dans son chalet sur les bords du Styx... Nombre de sujets d'actualité sont abordés, et les opinions de Narrache alternent du meilleur au pire. À des pages de haute virtuosité humoristique en succèdent d'autres où le bâclage est évident et où la réflexion a manqué à l'auteur. On pardonne difficilement à Narrache de nous décevoir ainsi au terme d'une carrière littéraire des plus singulières et après nous avoir si bien charmés. Robert Choquette a rapporté que son confrère n'était pas loin de désavouer ces pages par trop inégales... En juin, peu de temps après la fin de ses *Commentaires*, il donnera, lors du Congrès annuel des pharmaciens qui se tient à l'Estérel, une de ses toutes dernières causeries, *Zigzags à travers ma vie de pharmacien,* que CBF diffusera presque aussitôt.

Au milieu de la révolution dite «tranquille» que vit alors le Québec, Jean Narrache entre dans une retraite silencieuse. Le 16 avril 1967, la télévision de Radio-Canada présentait *Le poète des gueux*, un documentaire sur Jean Narrache, filmé chez lui et que l'éditeur Alain Stanké avait eu l'heureuse idée de réaliser. Trois ans plus tard, presque jour pour jour, le 6 avril 1970, Jean Narrache s'éteignait, à demi oublié, et sans que les milieux littéraires ne rapportent l'événement.

Le nom de Jean Narrache, une fois retiré des ondes de la radio, s'est peu à peu effacé dans les mémoires. S'il est parfois cité dans les anthologies, l'histoire littéraire du

Québec l'oublie trop souvent et la dimension globale de son œuvre reste ignorée. Les radio-théâtres, les dramatiques, les contes, les sketches, les causeries ainsi que les chroniques journalistiques demeurent inconnus jusqu'à ce jour du public lecteur.

La présente anthologie voudrait donner un aperçu de l'œuvre de Jean Narrache. Ce n'est là, dans le cadre du centenaire de sa naissance, qu'un premier pas vers la réhabilitation d'un de nos écrivains les plus originaux et malheureusement des plus mal connus.

Tous mes remerciements vont ici à Mme Jeanne Grisé-Allard, ultime amie d'Émile Coderre et de sa femme, qui m'a si chaleureusement encouragé, qui m'a livré ses souvenirs, confié son manuscrit *Jean Narrache n'est pas mort! Biographie d'Émile Coderre*, inédit jusqu'à ce jour, et donné accès à toutes les pièces du fonds Jean Narrache déposé à la Bibliothèque nationale.

RICHARD FOISY

Les signes sur le sable
(1922)

SOLITAIRE AU BORD DE LA GRÈVE

Solitaire au bord de la grève
J'écris sur le sable mouvant
Des mots qui traduisent mon rêve,
Des mots qu'emportera le vent.

LA ROUTE DE LA VIE

La route de la vie est la route des ronces
Où nous marchons sans fin, meurtris à chaque pas;
C'est la route qui mène au but qu'on ne voit pas
Et qui vers l'avenir implacable s'enfonce.

Mais, puisqu'il faut marcher, marcher jusqu'au grand soir,
Malgré nos corps lassés et nos âmes qui saignent,
Soyons les grands, les forts, les nobles qui dédaignent
Les prétendus plaisirs et les ombres d'espoir.

Restons les songe-creux, les fous, les solitaires,
Ceux que maudit la foule et qu'on raille en passant;
Fuyons le monde vil au masque grimaçant
Qui va, sans idéal, les yeux rivés à terre.

Et puisque la souffrance est l'éternelle loi,
Ayons notre bonheur à nous seuls dans nos âmes.
Allons notre chemin loin de ceux qu'on acclame,
Pauvres comme un poète et fiers comme des rois!

L'ORGUE DE BARBARIE

Dans la rue, un joueur d'orgue s'est arrêté;
C'est un vieux mendiant, et sa main qui tremblote
Tourne la manivelle en triturant les notes
D'un vieil air d'opéra cent mille fois chanté.

Il regarde un à un, sombres, mélancoliques,
Les passants qui s'en vont en détournant les yeux.
L'orgue joue en grinçant: «Éléonore, adieu!»
Puis, le vieillard s'éloigne en traînant sa musique.

Le voilà qui s'installe à quelques pas plus loin.
L'orgue gémit encor la chanson du «Trouvère»,
Et le joueur attend, musicien de misère,
Qu'on lui jette les sous dont il a tant besoin.

... «Éléonore, adieu!» La vieille main débile
Se crispe, ankylosée à force de souffrir...
L'orgue pleure toujours: «Je vais bientôt mourir!»
Mais personne ne jette un sou dans la sébile —

Tandis qu'on s'enfuyait aux notes du vieil air,
Délaissant le joueur et sa «boîte à musique»,
Moi, je le comparais, (l'idée est fantastique),
À nous les inconnus, à nous, faiseurs de vers.

Mendiants nous aussi, nous errons dans la vie
En jetant aux passants la chanson de nos cœurs;
La foule nous écoute avec un air moqueur,
Puis s'en va, dédaignant nos musiques ravies.

... Ne chantons plus l'Amour! Quel ennuyeux refrain!
Voilà bien des mille ans que ce duo se chante!
Nous sommes les derniers qu'un si vieil air enchante,
On rit de nous déjà: que serait-ce demain?

Votre époque est passée, ô Laure! ô Béatrice!
On se moque de vous, Pétrarque, Alighieri!
Et les seules chansons dont personne ne rit
Sont celles du plaisir, de l'or, des bénéfices —

... À quoi bon plaisanter, mon rire sonne faux!
En ce monde où l'argent est le dieu qu'on proclame,
Frères, chantons encor la chanson de nos âmes,
Méprisés si l'on veut, mendiants s'il le faut!

SIMPLES ACCORDS

La lune brille — au firmament — comme un miroir…
Le lac moiré — berce en cadence — une nacelle…
Dans les lointains — pleure un écho — … violoncelle…
La nuit s'endort — en murmurant — dans le ciel noir…

Un jardin d'ombre, — un sentier gris, — dans un beau soir…
Un bruit de feuille, — un cri d'oiseau, — des frissons d'ailes…
Des cheveux blonds, — des regards bleus, — une main frêle…
Un peu d'amour, — un peu de rêve, — un peu d'espoir.

NE LISEZ PAS MES VERS

Ne lisez pas mes vers, vous en ririez peut-être
Et ce rire voilé me briserait le cœur.

Ne lisez pas mes vers, vous souririez peut-être
Et pour moi ce sourire aurait trop de douceur.

Ne lisez pas mes vers, vous m'aimeriez... peut-être!
Et d'être aimé de vous serait trop de bonheur.

Ne lisez pas mes vers, vous pleureriez peut-être
En sachant le tourment d'une âme de rêveur!

LES PLUS BEAUX VERS

Les plus beaux vers d'amour ne sont pas dans les livres,
Ils vibrent dans les cœurs que la joie a bercés;
Dans l'âme qui s'entr'ouvre à la douceur de vivre
Quand près d'elle, un beau soir, une autre âme a passé.

Oh! ces strophes d'amour, pieuses, enflammées,
Que l'on se chante à soi, tout bas, passionnément
Et qu'on n'écrit jamais!...
Toujours inexprimées,
Elles vibrent dans l'âme, et c'est là le tourment!

Princesse, je ne suis ni poète ni prince.
Pourtant, je sens chanter en moi des vers d'amour,
Pharmacien que le sort condamne pour toujours
À tracer ce seul vers de ma plume qui grince:
«Prendre une cuillerée à thé trois fois par jour!»

LE CRÉPUSCULE EST DOUX

Le crépuscule est doux comme un de tes sourires.
Dans l'ombre qui bleuit lentement on dirait
Qu'on entend le refrain d'amour et de délire
D'un poète qui chante au loin dans la forêt.

Ce murmure léger, c'est la voix des bohèmes,
De ces rêveurs, martyrs d'un idéal trop beau,
Morts avant de connaître une âme qui les aime,
Une âme où leur chanson eût trouvé un écho.

Toi, tu sais écouter mon humble cantilène,
Tu comprends qu'un poète est un enfant toujours,
Tu partages ma joie et pleures de ma peine
Et tu me fais chanter en me berçant d'amour.

Viens au jardin plein d'ombre et de tendre mystère
Où nous pourrons rêver doucement seul à seul,
Tandis que dans la nuit, rêveuse et solitaire,
L'âme des Nelligan pleure dans les tilleuls.

Et comprends maintenant le bonheur que je goûte
Lorsque mon humble chant monte pour te charmer:
Ce n'est pas seulement «le grand soir» qui l'écoute,
Car tu daignes l'entendre et tu daignes m'aimer.

FINALE

Gloire, tu n'auras pas déposé de couronne
Sur mon front que le Rêve a parfois effleuré:
Je n'aurai pas connu les baisers que tu donnes
À ceux dont l'âme chante en des vers admirés.

Mais, j'aurai dit ma peine ou mon bonheur de vivre,
Comme l'oiseau caché loin du monde et du bruit,
Chante sa villanelle au grand soir qui l'enivre,
Et mêle un peu son âme à l'âme de la nuit.

Que m'importe après tout qu'on me raille ou m'acclame
Et qu'en le noir oubli mon livre soit jeté,
Si mes vers ont su mettre un peu de joie en l'âme
De la Femme pour qui je les aurai chantés.

Quand j'parl' tout seul
(1932)

ESPOIRS

J'sus pas un rongeur de balust'es,
J'sus pas non plus d'la croix d'saint Louis,
Mais j'crois qu'y'a un bon Yieu qu'est juste
Qui nous attend dans l'paradis.

Par là, personn' pâtit ou r'nâque,
Par là, tout l'monde a l'cœur content
Comm' quand on sort de fair' nos pâques,
Pis, là, on mang' pour notr' creus' dent.

Quand j'arriv'rai au ciel, saint Pierre
M'dira: «Te v'là, mon gabareau!...
Vu qu't'as toujours fait tes prières,
L'Seigneur t'attend dans son bureau.»

L'Seigneur s'ra là avec sa mère
La Saint' Vierg', les ang's et les saints.
I' m'dira: «Quiens, c'est toé, vieux frère!
J'sus content de t'serrer la main.

«Tu sais, quand j'étais su' la terre,
J'étais comm' toé, simple ouvrier.
J'me rappell' de mon temps d'misère;
J'sais comm' c'est dur de travailler.

«J'sus satisfait d'la vie qu't'as faite;
R'pos'-toé, tu l'as ben mérité!
Serr' tes outils, icit', c'est fête,
Fêt' légal' pour l'éternité.

«Quiens! Écout', c'est ta vieill' qui chante;
A t'guett' su' son perron là-bas.
J't'assur' qu'ell' va êtr' ben contente,
Elle avait peur que tu vienn's pas.

«C'est fini, l'inquiétud', les grèves!
Icit', t'as ta plac' pour toujours;
Icit', t'auras tout c'que tu rêves;
Icit', c'est dimanch' tous les jours!»...

C'est là qu'ell' s'ra la récompense
De tous les gars comm' moé qu'ont rien...
Si on n'avait pas nos croyances
Quoi qu'i' rest'rait dans notr' vie d'chien?

LES BALS DE CHARITÉ

À c't'heur' qu'on est dans l'mois d'décembre,
c'est l'temps des Bals de Charité;
les gens d'la haut' s'trémouss'nt les jambes
pour soulager notr' pauvreté.

Dans tous les hôtels fashionables
y vont danser pendant queuqu's soirs
pour l'plus grand bien des misérables
qui batt'nt d'la s'mell' su' les trottoirs.

Grand Euchre et Bal pour les pauvres!
Des p'tit's jeuness's s'laiss'nt tripoter
par des vieux matous gris tout chauves:
n'import'! c'est pour la Charité!

Des dam's assez vieill's pour êtr' sages
laiss'nt pourtant voir c'qu'ell's ont su' l'cœur
en entrebâillant leur corsage
d'vant des étudiants pleins d'candeur.

Des p'tits messieurs en queue-d'morue,
l'cou étranglé dans leu collet,
dans'nt joue à joue avec des grues:
c'pour la Charité, s'i' vous plaît!

Y'a pas à dir', ça m'émotionne
de voir c'bon mond' si généreux
qui dépens' pis qui s'époumone
rien qu'par amour des pauvres gueux.

C'qu'on leur en doit d'la r'connaissance
d'risquer d'avoir d'z'indigestions
à danser pis s'bourrer la panse
d'Laura Secord et d'bonn' boisson.

C'est pour l'amour d'notr' populace
qu'les dam's s'sont mis's sur leur trent'six...
Dir' que chaqu' rob' coûte assez d'piasses
pour qu'j'hivern' ma famill'! Torviss!

DÉSESPOIR

Ah! si j'savais parler en tarmes,
J'pourrais leur dir' tous nos chagrins,
Tout's nos rancœurs et pis nos larmes:
Le mond' me comprendrait p'têt' ben?

P'têt' ben? Mais y'a pas d'fiatte à s'faire.
Les gens qu'ont tout, ça pourrait-i'
Comprendr' c'que c'est que d'la misère,
Vu qu'eux autr's ont jamais pâti?

Pis mêm' si y'en a qui pâtissent,
Y braill'nt rien qu'de leu p'tits chagrins.
C'est pas eux autr's qui s'attendrissent
Comm' moé su' l'malheur du voisin.

J'ai l'cœur trop gros, j'étouff' de m'taire!
J'voudrais parler, j'voudrais parler!
Dir' que y'a personn' su' la terre
Pour me comprendre et m'consoler!...

À quoi ça sert c'te kyrielle?
J's'rais mieux d'aller pleurer chez nous,
Les pieds su' la bavett' du poêle,
Pleurer tout fin seul, pauvre fou!

LA FÊTE DE L'ARMISTICE

Aujourd'hui, on fêt' l'Armistice
par des discours, des processions.
Y'a des drapeaux su' l'z'édifices,
c'est comme un' fêt' d'obligation.

... C'est toujours pas moé qui s'oppose
à penser aux brav's qui sont morts
en Franc' sans savoir pour quell' cause!
Y'avaient trop d'cœur, c'est leu seul tort.

... Su' les trottoirs, y'a un lot d'filles,
l'visag' fardé comm' l'arc-en-ciel,
qui vend'nt des p'tit's fleurs de guenille
avec un beau sourir' de miel.

C'te fleur me fait penser aux Flandres,
aux tomb's couvert's de coqu'licots.
Le cœur m'est v'nu gros presqu'à fendre
quand j'l'ai piquée su' mon capot.

Ah! y'en est mort des bell's jeunesses!
Ah! pauv's garçons tout pleins d'av'nir
vous êt's partis beurrés d'promesses,
vous êt's partis pour pus r'venir!

Pauv's p'tits! y vous ont fait accroire
qu'vous protégiez la société,
l'Foyer, la Patrie! c'tait d'z'histoires!
Vous croyiez qu'c'tait la vérité!

Y'été ben beau votr' sacrifice
mais ben inutil', pauv's enfants!
Y'a pus d'foi, pus d'mœurs, pus d'justice:
le monde est plus pourri qu'avant!

Aujourd'hui le mond' vous encense,
y s'apitoy' mêm' su' votr' sort.
Ben moé, j'vais vous dir' c'que j'en pense.
Tout ça c'est parc' que vous êt's morts.

Ah! ça s'rait une autr' pair' de manches
si vous viviez, mes pauvr's garçons!
Vous manqueriez d'pain su' la planche
comm' ben d'autr's revenus du front.

Y mett'nt des couronn's su' la bière
de c'fameux soldat inconnu,
pis y laiss'nt mourir de misère
les pauvres bougr's qui sont r'venus!

ON N'A UN CŒUR

Nous autr's quand on a l'z'idées noires
Pis qu'on s'promèn' le cœur en deuil,
On tâch' de rir', d'fair' des histoires
Pour pas êtr' vus la larme à l'œil.

On fait les fiers... Oui! on abrille
Notr' pein' derrièr' des airs moqueurs,
Mais s'empêch' pas qu'sous nos guenilles
Nous autr's aussi, on 'n'a un cœur.

On a un cœur, un cœur qui souffre,
Mais i' faut renfrogner nos cris;
Faut qu'nos sanglots, on les étouffe,
C't'inutile, on s'rait pas compris.

On a un cœur, mais faut pas l'dire,
Vu qu'quand l'mond' nous entend r'nâcler,
Au lieu d'nous plaindre, i' s'met à rire:
C'est sa façon d'nous consoler.

Au lieu d'pleurer et d'fair' la lippe,
Vaut mieux rien dir' pis s'conformer,
Le mieux à fair', c'est d'prendr' sa pipe,
S'assir d'vant l'poêle et pis fumer.

LE VIEUX VIOLONEUX

L'autr' soir, à la port' du «Princesse»,
y'avait un pauvre violoneux
plus qu'à moitié mort de vieillesse;
qu'i' faisait donc pitié, c'pauvr' vieux!

Y jouait un vieil air que je r'grette
quand j'pense encore à mon jeun' temps:
«Que fais-tu là, pauvre poète,
dans l'air attendri du printemps?»...

C'tait trist' de l'voir et de l'entendre!
Y'avait beau jouer à tour de bras,
personn' faisait min' de comprendre.
Ceux qui passaient y donnaient pas.

Y'en avait pourtant qu'étaient riches
à pas savoir où mettr' l'argent.
Mais, y'a du mond' qui sont si chiches
qu'y donnent rien aux pauvres gens.

Dans l'fond, c'est tous des égoïstes
qui pens'nt rien qu'à leu z'intérêts.
Y'ont pas d'argent pour les artistes,
mais y pay'nt deux piastr's par billet

Pour aller au théâtr' Princesse
voir des fill's laid's à fair' loucher
qui dans'nt en montrant leur... adresse.
(La langue a manqué d'me fourcher!)

Y'était tout tremp' comme un' lavette
quand y'a eu fini d'zigonner.
Mais y'avait beau tendr' sa casquette,
le mond' passait sans y donner.

Moé, j'avais encore un cinq cennes
pour m'ach'ter du tabac l'lend'main;
c'pauvr' vieux! y m'faisait tell'ment d'peine,
que j'été y mettr' dans la main.

Oui! j'ai fait ma cléricature
su' la grand' hach' dans les chanquiers.
Mais, j'ai l'cœur plus tendr', j'vous assure,
que ben des gens mieux éduqués.

LES DEUX ORPHELINES

J'été voir «Les deux Orphelines»
au Théâtr' Saint-Denis, l'autr' soir.
Tout l'mond' pleurait. Bonté divine!
C'qui s'en est mouillé des mouchoirs!

Dans les log's, y'avait un' gross' dame
qu'avait l'air d'être au désespoir.
Ell' sanglotait, c'te pauvre femme,
ell' pleurait comme un arrosoir.

J'me disais: «Faut qu'ell' soit ben tendre,
pis qu'elle ait d'la pitié plein l'cœur
pour brailler comm' ça, à entendre
un' pièc' qu'est jouée par des acteurs.

«Ça doit être un' femm' charitable
qui cherch' toujours à soulager
les pauvres yâb's, les misérables
qu'ont frett' pis qu'ont pas d'quoi manger.»

J'pensais à ça après la pièce
en sortant d'la sall' pour partir.
Pis, j'me suis dit: «Tiens, faut que j'reste
à la port' pour la voir sortir.»

Dehors, y'avait deux pauv's p'tit's filles
en p'tit's rob's minc's comm' du papier.
Leurs bas étaient tout en guenilles;
y'avaient mêm' pas d'claqu's dans les pieds.

Ell's grelottaient, ces pauvr's p'tit's chouettes!
Ell's nous d'mandaient la charité
en montrant leurs p'tit's mains violettes.
Ah! c'tait ben d'la vraie pauvreté!

Chacun leu z'a donné quelqu's cennes.
C'est pas eux autr's, les pauvr's enfants,
qu'auront les bras chargés d'étrennes
à Noël pis au jour de l'An.

V'l'à-t'i' pas qu'la gross' dam' s'amène,
les yeux encore en pâmoison
d'avoir pleuré comme un' Madeleine;
les p'tit's y d'mand'nt comm' de raison:

«La charité, s'ous plaît, madame!»
d'un' voix qui faisait mal au cœur.
Au lieu d'leu donner, la gross' femme
leur répond du haut d'sa grandeur:

«Allez-vous-en, mes p'tit's voleuses!
Vous avez pas hont' de quêter!
Si vous vous sauvez pas, mes gueuses,
moé, j'm'en vais vous faire arrêter!»

Le mond' c'est comm' ça! La misère,
en pièc', ça les fait pleurnicher;
mais quand c'est vrai, c't'une autre affaire!
... La vie, c'est ben mal emmanché!

ORAISON FUNÈBRE DE MON CHIEN

Non! t'étais pas un chien d'salon,
un d'ces chiens-chiens pour demoiselles,
qu'ont des prix aux expositions
pis qui couch'nt dans des lits d'dentelles…

Quand j't'ai trouvé tout estropié,
j'ai compris qu'dans ta vie d'misère,
t'avais mangé ben plus d'coups d'pieds
que d'viand'… Pour ça, on était frères.

Tu me r'gardais d'un air si doux
quand tu mettais ta pauvr' têt' ronde
pis tes gross's patt's su' mes genoux,
qu'on aurait dit qu't'étais du monde.

Tu comprenais ben sûr, pauvr' vieux,
tout's mes rancœurs, tout's mes détresses.
Rien qu'à me r'garder l'blanc des yeux,
tu devinais tout's mes tristesses.

Tu m'guettais comme un collecteur,
comme un' police, un' sentinelle.
C'est pour ça que j't'app'lais Malheur;
tu m'lâchais jamais d'un' semelle.

Et pis, j'me souviens d'l'enterr'ment
qu'j'ai m'né ma vieille au cimetière;
l'corbillard montait tristement
avec rien qu'toé pis moé derrière!

LES ÉCONOMISTES

Pourquoi qu'on est dans la misère?
Mon Yieu, pourquoi qu'on est ratés?
Pardon, j'd'mand' ça, c'pas d'mes affaires,
y paraît qu'c'est votr' volonté!

Notr' misèr' ça dépend d'nos vices,
de notr' paresse et d'nos défauts,
à c'que dis'nt les économistes
qui parl'nt à travers leur chapeau.

Paraît qu'on est rien qu'bons à pendre,
qu'on est v'limeux, vauriens, foutus;
si on dirait pas à l'z'entendre
que c't'eux autr's qu'ont l'trust des vertus.

Ces gens-là, ça fait les apôtres,
ça nous dédaign', ça s'croit meilleur
tout en vivant du gâgn' des autres.
Notr' pain, nous autr's, on l'pay' d'nos sueurs.

Y'oublient qu'quasiment tous les hommes
qu'ont fait quequ' chos' dans notr' pays
étaient pas nés dans la haut' gomme;
c'est d'notr' class' pauvr' qu'i' sont sortis.

EN REGARDANT LA LUNE

À soir, j'ai l'cœur tout plein d'tristesse.
C'est drôl', j'me sens tout à l'envers!
J'ai soif d'amour et pis d'tendresse
quasiment comme un faiseux d'vers.

J'vois la lune au-d'ssus des bâtisses,
ell' r'luit comme un trent' sous tout neu;
ma foi d'gueux, c'est ell' qui m'rend triste
et qui m'met des larm's dans les yeux.

En la r'gardant, des fois, j'me d'mande
si y'a des gens qui viv'nt là-d'ssus
qu'ont faim quand la misère est grande,
qu'ont fret' parc' qu'y'ont pas d'pardessus.

C'est-i' pareil comm' su' notr' terre?
Y'a-t-i' des chagrins pis des pleurs,
des pauvres yâbl's, des rich's, des guerres,
des rois, des princ's pis des voleurs?

Pis, y'a-t-i' des gens qui pâtissent
sans savoir c'qui mang'ront l'lend'main;
tandis que tant d'autr's s'enrichissent
dans l'trust d'la viande et pis du pain?

Y'a-t-i' ben des enfants qui meurent
faut' d'argent pour en avoir soin?
Et pis des pauvres mèr's qui pleurent
en r'gardant l'ber qu'est vid' dans l'coin?

Y'a-t-i' des pauvres gueux qui rêvent
d'être heureux pis qui l'sont jamais,
qu'attend'nt toujours et pis qui crèvent
sans rien avoir de c'qui z'aimaient?

Tandis que j'rêve au clair d'la lune,
doit y'en avoir en pâmoison,
par là, qui pleur'nt leurs infortunes
au clair d'la terr'... comm' de raison!

SOIR D'ÉTÉ

L'soleil s'couche au bout d'la rue Wolfe
En ayant l'air de j'ter un œil
Su' la terre ousque tant d'mond' souffre;
C'est ben lui qui s'fich' de nos deuils.

Comm' tous les autr's soirs, j'me promène
Sans trop r'garder, sans trop savoir.
J'fil' mon ch'min comme un' âme en peine,
Droit devant moé l'long du trottoir.

J'long' les rues ousque sont tassées
Tout's nos mâsur's de pauvres gens,
Notr' rue qui pue la fricassée,
Le ling' sale et pis l'manqu' d'argent.

C'est l'quartier des quêteux d'naissance
Qui sont v'nus au mond' tout ratés,
Des gâs comm' moé qu'ont pas eu d'chance
Et pis qu'la vie a pas gâtés.

Dans les fonds d'cour, à gauche, à droite,
Je r'marqu' les famill's d'ouvriers
Qu'étouff'nt dans leurs maisons étroites,
Assis dehors en train d'veiller.

La femme à moitié débraillée,
Rien qu'en jaquett' sous son jupon,
Les ch'veux en fond d'chais' dépaillée,
Est à cul plat su' son perron.

Elle a pas l'cœur d's'mettre en toilette.
D'abord, elle a l'p'tit à nourrir;
Pis un' journée su' la cuvette
Ça vous ôt' ben l'goût d's'embellir.

Ell', c'est ça sa villégiature:
S'assir dans l'air mort du soir d'août
D'vant les hangars pis les clôtures,
Tout en r'gardant s'battr' les matous.

Son mari, les culott's pendantes,
S'est mis nu-pieds et pis en corps.
Y fum' sa pipe à la brunante.
Y'a pas à dir', c'est beau l'confort!

Tandis c'temps-là, au coin d'la rue,
Les enfants jouent, sal's pis morveux.
Tout' c'te marmâill'-là qui pouss' drue,
C'est encor' d'la grain' de quêteux...

... La gueul' serrée, l'homm' pis la femme
R'gard'nt, sans rien dir', dormir le p'tit.
D'quoi qu'i' parl'raient? Chacun s'renferme
Dans l'silenc' d'un rêve abruti.

S'parler d'amour? S'fair' des tendresses?
Y'a ben longtemps qu'ça leur dit plus.
Tous les espoirs de leur jeunesse,
Ça fait un' mêch' qu'i' sont foutus.

Lui pens' que d'main faudra d'l'ouvrage
Pour payer l'groceur pis l'loyer.
Y pens' qu'à mesur' qu'i' prend d'l'âge
Ça d'vient plus dur de travailler.

… Elle, a s'voit encore en famille,
Dans la misère à pus finir;
Ell' pense au lavage, aux guenilles,
Pis ell' s'demand' c'qu'i' vont d'venir.

Y s'aim'nt toujours, mais sans se l'dire;
Y' s'ront comm' ça jusqu'à leur mort,
Comme un' pair' de vieux ch'vaux qui tire
Toujours att'lée dans l'mêm' brancard.

Et sur c'tableau plein d'vie réelle
Du bonheur simpl' du travailleur,
Entre les cord's à ling' d'la ruelle,
La lun' qui s'lèv' jett' sa lueur.

À LA MÉMOIRE DE CRÉMAZIE

À soir, j'ai l'cœur à la poésie,
J'sus v'nu m'assir «triste et pensif»
D'vant ton monument, Crémazie,
Dans l'parc Saint-Louis qu'est tout plein d'Juifs.

Les sociétés d'littérateurs,
Vu qu'c'était ton anniversaire,
T'ont mis des bell's couronn's de fleurs
Avec des rubans jusqu'à terre.

Mon pauv' Octav', c'est ça la Gloire!
Tu te d'mand's ben à quoi ça sert;
La Gloir', mon vieux, c't'un' drôl' d'affaire,
C'est d'la moutarde après l'dessert.

Tu dois trouver ta vie changée
Depuis qu't'es rendu chez les morts;
Tu mang's plus d'la vache enragée;
L'propriétair' te met plus d'hors.

Mais si jamais tu r'viens su' terre,
J't'en prie, fais-toé pas écrivain;
Va pas, non plus, te r'mettr' libraire,
Ou ben tu vas 'cor' crever d'faim.

Mon pauvr' Octav', si t'écrivailles,
Si t'es patriot', faiseux d'vers,
Tu mourras mêm' pas su' la paille,
Vu qu'à c't'heur' la paill' coût' trop cher.

D'nos jours, y'a pus plac' pour les rêves,
Pour l'Idéal pis l'z'illusions.
Plus que d'ton temps, les poèt's crèvent…
D'nos jours, faut êtr' des homm's d'actions,

D'actions dans l'huile ou ben les mines,
Dans l'Nickel ou ben dans l'«Power»;
Ça met plus d'pain dans la cuisine
Que les plus beaux recueils de vers.

Et pis, si tu te r'mets libraire,
Tu pourras pas vendr' tes bouquins;
Tous les gens un peu littéraires
Lis'nt rien qu'des livr's américains.

Mon pauvr' Octav', t'es rien qu'poète,
Comme attraction t'as pas d'valeur;
Pour mettr' son nom dans les gazettes,
Faut êtr' bandit ou ben boxeur…

Mais, si tu r'viens pour êtr' poète,
À Montréal ou à Québec,
T'auras d'z'amis pour te fair' fête,
Et pis, tu crèv'ras d'faim avec!

EN RÔDANT DANS L'PARC LAFONTAINE

À soir, j'suis v'nu tirer un' touche
dans l'parc Lafontain', pour prendr' l'air
à l'heure ousque l'soleil se couche
derrièr' la ch'minée d'chez Joubert.

Ici, on peut rêver tranquille
d'vant l'étang, les fleurs pis l'gazon.
C'est si beau qu'on s'croit loin d'la ville
ousqu'on étouff' dans nos maisons.

Les soirs d'été, c'est l'coin d'ombrage
pour v'nir prendr' la fraîch' pis s'promener,
après qu'on a sué su' l'ouvrage,
qu'l'eau nous pissait au bout du nez.

Faut voir les gens d'la class' moyenne,
c't-à-dir' d'la class' qu'a pas l'moyen,
tous les soirs que l'bon Yieu amène,
arriver icit' à pleins ch'mins.

Les v'là qui vienn'nt, les pèr's, les mères,
les amoureux pis les enfants
dans l'z'allées d'érabl's-à-giguère
qui tournaill'nt tout autour d'l'étang.

Ça vient chercher un peu d'verdure,
un peu d'air frais, un peu d'été,
un peu d'oubli qu'la vie est dure,
un peu d'musique, un peu d'gaîté!

Les jeun's, les vieux, les pauvr's, les riches,
chacun promèn' son cœur, à soir.
Y'en a mêm', tout seuls, qui pleurnichent
su' l'banc ousqu'i' sont v'nus s'asseoir...

Par là-bas, au pied des gros saules,
v'là un couple assis au ras l'eau;
la fill' frôl' sa têt' su' l'épaule
d'son cavalier qu'est aux oiseaux.

À l'ombre des tall's d'aubépines,
d'autr's amoureux vienn'nt s'fair' l'amour.
Vous savez ben d'quoi qu'i' jaspinent:
Y s'promett'nt de s'aimer toujours.

Y sav'nt pas c'te chos' surprenante,
qu'l'amour éternel, c'est, des fois,
comm' l'ondulation permanente:
c'est rar' quand ça dur' plus qu'un mois.

Pour le moment, leur vie est belle;
y jas'nt en mangeant tous les deux
des patat's frit's dans d'la chandelle,
en se r'gardant dans l'blanc des yeux.

Deux mots d'amour, des patat's frites!
Y sont heureux, c'est l'paradis!
Ah! la jeuness', ça pass' si vite,
pis c'est pas gai quand c'est parti!

... D'autr's pass'nt en poussant su' l'carosse;
c'est des mariés d'l'été dernier.
Ça porte encor' leu ling' de noces,
qu'ça déjà un p'tit à soigner...

Par là-bas, y'en a qui défilent
devant le monument d'Dollard
qu'est mort en s'battant pour la ville.
... D'nos jours, on s'bat pour des dollars...

Tandis que j'pass' su' l'pont rustique
fait avec des arbr's en ciment,
l'orchestr' dans l'kiosque à musique
s'lanc' dans: «Poète et Paysan».

Oh! la musiqu', c'est un mystère!
On dirait qu'ça sait nous parler...
on s'sent comme heureux d'nos misères;
ça parl' si doux qu'on veut pleurer...

D'autr's s'en vont voir les bêt's sauvages,
(deux poul's, un coq pis trois faisans) —
y s'arrêt'nt surtout d'vant les cages
des sing's qui s'berc'nt en grimaçant.

Y paraîtrait qu'des savants prouvent
qu'l'homme est un sing' perfectionné.
Mais, p't-êtr' ben qu'les sing's, eux autr's, trouvent
qu'l'homme est un sing' qu'a mal tourné.

... Les yeux grands comm' des piastr's françaises,
la bouche ouverte et l'nez au vent,
y'a un lot d'gens qui r'gard'nt à l'aise
la fontain' lumineus' d'l'étang.

C'est comme un grand arbr' de lumière,
ça monte en l'air en dorant l'soir.
C'est couleur d'or, d'rose et d'chimère:
ça r'tomb' d'un coup, comm' nos espoirs.

Ah! c'est ben comm' les espérances
qu'la vie nous four' toujours dans l'cœur!
Ça mont', ça r'tomb' pis ça r'commence:
dans l'fond, ça chang' rien qu'de couleur.

J'parl' pour parler
(1939)

J'PARL' POUR PARLER

J'parl' pour parler..., ça, je l'sais bien.
Mêm' si j'vous cassais les oreilles,
La vie rest'ra toujours pareille
Pour tous ceux que c'est un' vie d'chien.

J'parl' pour parler pas rien qu'pour moi,
Mais pour tous les gars d'la misère;
C'est la majorité su' terre.
J'prends pour eux autr's, c'est ben mon droit.

J'parl' pour parler..., j'parl' comm' les gueux,
Dans l'espoir que l'bruit d'mes paroles
Nous engourdisse et nous r'console...
Quand on souffre, on s'soign' comme on peut.

J'parl' pour parler..., ça chang'ra rien!
Vu qu'on est pauvres, on est des crasses
Aux saints yeux des Champions d'la Race:
Faut d'l'argent pour être «homm' de bien».

J'parl' pour parler..., j'parl' franc et cru,
Parc' que moi, j'parl' pas pour rien dire
Comm' ceux qui parl'nt pour s'faire élire...
S'ils parlaient franc, ils seraient battus!

J'parl' pour parler... Si j'me permets
De dir' tout haut c'que ben d'autr's pensent,
C'est ma manièr' d'prendr' leur défense:
J'parl' pour tous ceux qui parl'nt jamais!

J'parl' pour parler… Si, à la fin,
On m'fourre en prison pour libelle,
Ça, mes vieux, ça s'ra un' nouvelle!
L'pays f'rait vivre un écrivain!

AU SIEUR DE MAISONNEUVE ET À SES COMPAGNONS

Oué!... En mil neuf cent quarant'-deux,
on fêt'ra votr' tricentenaire.
Non! ça va-t-i' êtr' beau, mes vieux!
Beau! à 'n'en tomber su' l'derrière!

J'vous dis, mes gars, qu'déjà ell' s'plante
pour vous fêter comm' des p'tits fous,
notre admirabl' CLASS' DIRIGEANTE
qui nous dirig' toujours dans l'trou.

Vous allez voir nos «patriotes»
se louer chacun un Prince-Albert,
un' chemis' nette et puis des bottes
pour fair' des discours en plein air

Vous entendrez à tour de bras
des grand's parlott's à trois étages,
des conférenc's à falbalas
puis des poèm's de quinz' cents pages!

On va 'n'user du cuir à s'melles
à suivr' des mill's de processions
derrièr' des chars qui nous rappellent
«NOS GLOIR'S»... en costum's d'chez Ponton.

Nos sociétés d'endormitoires
vont vous chanter, «nobles aïeux»!
... On vit rien qu'pâmés d'GRANDE HISTOIRE,
c'est pour ça qu'on est tous des gueux.

On est si fiers de notr' passé
qu'on vit toujours la têt' dans l'dos.
Pendant c'temps-là, on s'fait r'passer
par d'autr's qu'ont moins l'cult' des héros.

On n'est rien qu'des fils à papa
qu'ont gaspillé votre héritage;
des «sans desseins» qui voient mêm' pas
qu'nous v'là réduits à l'esclavage.

Nous autr's vos fils, grands conquérants,
nous autr's vos fils, pèr's si notables,
on n'a mêm' pas en têt' d'nos rangs
un chef qu'est à peu près montrable!

Fils des bâtisseurs du pays
et des grands ouvreurs de frontières,
nous autr's, on bâtit des... taudis,
nous autr's, on ouvr'... des pissotières.

Ceux qui d'vaient êtr' nos dirigeants
nous ont vendus avec notr' terre;
y'ont pensé rien qu'à s'fair' d'l'argent
jusqu'en trafiquant d'notr' misère.

...Venez la voir, notr' Rac' si fière!
V'nez nous voir, c'est éblouissant!
C'pour ça qu'vous avez, nobles pères,
versé vos sueurs et puis votr' sang!

V'LÀ LES ÉLECTIONS

V'là l'temps ousque dans tout l'pays
C'est un' pluie à sciaux d'éloquence:
La députaill' des deux partis
S'plant' pour conserver sa pitance:
V'là les élections qui commencent.

C'est beau, mes vieux, à en brailler
De tous les entendr' nous crier
Leur amour puis leur dévouement...
Pour qu'on les r'rentre au parlement.

Dir' que nous autr's qu'a pas d'argent
Mais qu'a l'droit d'voter comme on pense,
On s'fait app'ler «intelligents»!
On s'fait bourrer l'crân' puis la panse:
V'là les élections qui commencent.

C'est ça, mes vieux, l'droit d'électeur:
S'fair' minoucher tous les quatre ans.
On s'fait traiter de quémandeurs,
D'achalants et d'gueux, l'rest' du temps.

V'là qu'arriv' de tous les partis
Un lot de commerçants d'consciences.
Ils donn'nt des cigar's, du whisky.
Pourvu qu'on s'vende, on fait bombance:
V'là les élections qui commencent.

Les quéteux vend'nt leur vot', scandale!
Les gens d'la Haut' trouv'nt ça honteux;
Mais l'fonds d'la Caisse Électorale,
Qui c'qui l'souscrit, si c'est pas eux?

Quand mêm' qu'on voudrait s'tracasser
Pour élir' des homm's d'importance!...
Être honnêt', mes vieux, c'pas assez
Pour être élu, faut d'la finance:
V'là les élections qui commencent!

HOMMAGE DES GUEUX À LA FRANCE

Nous autr's, les gueux qu'ont pas eu d'chance
Et qui viv'nt comment, l'bon Yeu l'sait
On peut pas fair' des conférences
Ni des discours à tout casser
Comm' les messieurs qu'ont d'l'importance
Et qui sav'nt comment bavasser.
Mais quand on entend: «Viv' la France!»
Nos cœurs de gueux sont boul'versés.

Nous autr's, on n'a pas d'éloquence
Pour tourner des vers ben troussés;
Paraît qu'on exprim' mal c'qu'on pense
Et qu'notr' langag' peut offenser.
Mais ça, ça fait pas d'différence
Pourvu qu'on ait l'cœur ben placé.
Et quand on entend: «Viv' la France!»
Nos cœurs de gueux sont boul'versés.

D'puis qu'on a l'âg' de connaissance,
Depuis l'temps qu'nos mèr's nous berçaient
On gard' l'amour et la souv'nance
De nos vieux qu'étaient des Français
Et des gars d'courage et d'vaillance.
C'est pas nous autr's qu'oublient l'passé!
Et quand on entend: «Viv' la France!»
Nos cœurs de gueux sont boul'versés.

Dans nos gaietés, dans nos souffrances,
Dans nos chansons, on rest' Français.
Et quand on prie l'Dieu d'nos croyances,
C'est p't-être en mots mal prononcés;
C'est en vieux mots qui vienn'nt de France
Et qu'les aïeux nous ont laissés.
Et quand on entend: «Viv' la France!»
Nos cœurs de gueux sont boul'versés.

ADIEU, MES VIEILLES BOTTINES

Vous v'là finies! C'pas qu'ça m'arrange,
Va ben falloir que j'march' nu-pieds.
Mais faut que j'vous jette aux vidanges,
Vos s'mell's sont pus rien qu'du papier.

J'dis pas que j'vous ai ménagées
À marcher du matin au soir
Pour m'chercher d'la vache enragée...
On' n'a-ti battu des trottoirs!

Vous m'avez ben servi, j'l'avoue!
Pour m'protéger comm' des bons chiens
Vous avez marché dans la boue
Presqu'autant qu'un politicien.

En fin d'compte, y'a pas d'différence
Entr' les gueux puis les s'mell's, c'est su:
Pour avancer dans l'existence
Faut pas s'gêner pour marcher d'ssus.

Adieu, pauvr's vieill's, faut qu'ça finisse,
À c't'heur', j'vous lâch'!... C'est ben admis
Que quand ils nous sont pus d'service
On abandonn' mêm' ses amis!...

PRIÈRE DEVANT LA «SUN LIFE»

Mon Yeu, j'suis p't-êtr' mal embouché,
C'pas d'ma faut', j'n'ai tant arraché!
V'là qu'aujourd'hui j'vous prie en grâce;
J'suis rien qu'un gueux, rien qu'un vaurien,
J'suis rien qu'un rien, un' pauvre crasse,
Mais j'fais d'mon mieux pour êtr' chréquien.
J'vous prie, Seigneur, en tout' confiance,
Comm' Verlaine et Roger Brien.
J'vous prie, mon Yeu, donnez un' chance
À tous les r'leveurs du pays,
Roug's, câill's, bleus ou ben roug's bleuis!
J'vous prie pour tous les spécialisses
De notre ardent patriotisse;
Pour tous les sauv'teurs patentés
D'notr' chère et sainte Liberté;
Pour tous les députés honnêtes
Qui vid'nt nos poch's et s'pay'nt notr' tête;
Pour tous ces «frèr's du travailleur»
Qui viv'nt d'notr' travail et d'nos sueurs;
Pour tous les sout'neurs d'la Grand' Cause,
Chaqu' fois qu'ça leu rapport' queuqu' chose;
Pour nos professeurs d'idéal
Qui s'défil'nt quand ça va trop mal;
Pour les grands défenseurs à gages
De notr' «magnifique héritage»;
Pour tous les apôtr's ben nourris
Qui nous trouss'nt des discours fleuris;
Pour les étireurs de harangues
En nègr' pour la défens' d'la langue;
Pour ceux qui s'tuent à nous prouver
Qu'on n'est rien qu'un tas d'réprouvés;
Pour ceux qui s'font des pil's de piasses

À s'planter comm' Champions d'la Race;
Pour tous les jureurs de serments
D'amour à la Franc' notr' moman;
Pour tous ceux qui tir'nt bénéfice
De notr' vach'rie et de nos vices;
Pour tous ceux qu'ont pas leu pareils
Pour nous engraisser d'leu conseils
Et qui s'font des rent's viagères
À vouloir nous tirer d'misère;
Pour les gens à tuyau d'castor,
À «Prince-Albert» et à chain' d'or;
Pour tous les experts d'ces parades
Qui montr'nt l'étendue d'nos r'culades,
J'vous prie, mon Yeu, la main su' l'cœur,
Sans mauvais plan puis sans aigreur.
Fait's que nous autr's, vil' populace,
On croupiss' toujours dans notr' crasse;
Qu'on soit jusqu'à la fin des fins
Des charrieux d'eau, des crèv' de faim,
Des bons à rien, des misérables,
Vu qu'ça s'rait ben épouvantable
Si qu'on d'venait bons citoyens!
Quoi qu'ils d'viendraient, «ces gens de bien»?
C'ben simple, y'auraient pus rien à faire!
C't'eux autr's qui s'raient dans la misère,
C't'eux autr's qui s'raient ces «Pauvr's chômeurs»!
Ça s'rait ben trop dommag', Seigneur!

CONTE DE NOËL

Vous parlez d'un' veill' de Noël!
C'nuit-là, i' poudrait à plein ciel;
I' vous faisait un d'ces frets noirs
Qu'on g'lait tout grandis su' l'trottoir.
Ça traversait mon capot d'laine
Comm' si ç'avait été d'l'inyienne.
Le mond', ça passait en band's drues;
Y'en arrivait d'tout's les p'tit's rues,
L'nez dans l'collet et puis l'dos rond
En tâchant d'longer les perrons,
Chacun à deux mains su' son casque
Pour pas qu'i' part' dans la bourrasque.
On s'dépéchait tous pour la messe,
Vu que l'gros bourdon d'la paroisse
Grondait les premiers coups d'minuit
Qu'ça faisait comm' trembler la nuit.
... Noël! Noël! La joie d'la fête
Me montait du cœur à la tête!...

Tout d'un coup, contre un magasin,
Qui c'que j'vois, g'lée comme un raisin,
Gross' comm' le poing? Un p'tit bout d'fille
Roulée dans un mant'let d'guénille!
Ça tap' si elle avait sept ans.
Ell' dormait en claquant des dents
D'ssour une enseigne illuminée
D'«JOYEUX NOËL ET BONNE ANNÉE».
La morve au nez, elle r'chignait
Tandis qu'la neig' qui poudrâillait
Tombait su' elle en d'ssour d'l'enseigne
Comm' du sucre en poudr' su' un beigne.
Vit'ment, j'l'ai pris comme un' moman,

Comm' un prêtr' qu'a l'saint-sacrement,
Puis j'l'ai rentrée dans un' «binn'rie»
Ousque c'tait chaud comme un' chauff'rie.
D'un tour, j'y'ai ôté sa capine,
Son vieux mant'let, ses p'tit's bottines,
Ses bas d'coton qu'étaient des trous,
Puis, avec ell' su' les genoux,
J'été m'asseoir d'vant la «tortue».
La p'tite avait l'air d'un' statue;
J'voulais la t'nir à la chaleur
Pour qu'a vint reprendr' des couleurs.
Ell' pleurait pus, ell' grouillait pas,
Ell' dormait d'même entre mes bras.
J'osais tant seul'ment pas bâiller,
J'avais trop peur d'la réveiller.
Dormir, c'est si bon pour les gueux!
C'est ben l'seul temps qu'on est heureux.
Quand on s'réveille, il faut qu'on r'pense
Au cauch'mar d'la vie qui r'commence...
Les gars d'la «binn'rie» parlaient bas;
Ça les figeait; ils mangeaient pas.
Y'avaient beau avoir la couenn' dure,
— Ça s'durcit à forc' qu'on 'n'endure! —
J'crois qu'ça leu faisait mal en d'dans
De r'garder pâtir c'pauvre enfant...
Rien qu'à la voir, la p'tit' bougresse,
Ça nous r'virait l'cœur en tristesse!
Ah! sa pauvr' p'tit' fac' de martyre
Qu'était jaun' comme un cierge en cire;
Ses p'tit's jamb's croch's en manch' de faulx,
Ses bras maigr's qu'étaient rien qu'des os!...
Ses beaux ch'veux blonds couleur de miel
Comm' les archang's en ont au ciel
Étaient tout mêlés en étoupe!...
V'lan! ell' rouvr' les yeux; des soucoupes!
Des yeux qu'ont l'air effarouché

De ceux qu'en ont ben arraché.
Puis, ell' se r'plant', sans dire un mot,
Le nez dans ma manch', j'y'ai dit: «La p'tite,
Tu mang'rais-tu un' patat' frite?
Un' soupe aux pois? Un peu d'porc frais?
Un' point' de tart'? Ça te r'mettrait.
J'te r'gard', t'as l'ventr' collé aux fesses;
Ben sûr, t'étouff's pas dans ta graisse!»
J'avais eu just' le temps d'm'asseoir
Avec elle en fac' du comptoir
Qu'sans dir' mot, a s'darde à deux mains
Puis qu'a s'prend un gros chignon d'pain.
Ell' dévorait d'un air peureux
En me r'gardant avec des yeux,
Des yeux de pauvre chien de ruelle
Qui vient d'trouver un os à moelle!
Ah! j'avais l'âm' ravigotée
Rien qu'd'entendr' ses p'tit's dents gâtées
Qui grichaient su' la croût' de pain;
J'sais si ben c'que c'est qu'avoir faim!
J'pensais: «Ell' va tout galafer,
La soup', la tart' et puis l'café!»
Ben non! elle a rien voulu, non!
Pas d'soup', pas d'tart', pas d'bonbons!
Les gars essayaient d'l'enjoler,
D'y fair' risett', d'la fair' parler
Pour tâcher qu'a sourie un brin.
A souriait pas, a disait rien,
Sa p'tit' têt' blond' dans l'creux d'mon bras,
C'tait comm' si elle entendait pas.
J'y'ai dit: «Sais-tu qu'v'là les p'tit's heures!
Ta mèr' doit t'chercher?» ... V'la qu'a pleure!
«J'gag'rais ben que t'es désertée!
T'as peur d'manger un' tripotée
Tout à l'heur' quand tu vas rentrer?
Viens avec moi, j'te défendrai.» ...

Ell' m'a répond par soubresauts
Avec un' voix plein' de sanglots,
En me r'gardant d'ses yeux d'misère:
«Moman, a dort au cimetière...,
Papa, lui, il boit comme un trou...,
À soir, y est rendu j'sais pas où...
J'étais tout' seule à la maison;
La peur m'a pris comm' de raison...»
En l'écoutant, moi puis les gars,
J'vous dis qu'on avait l'caquet bas!
J'sais pas trop c'qui m'a possédé
Mais j'me suis mis à y d'mander:
«Tu l'connais-tu, toi, l'p'tit Jésus?
Sais-tu que c'te nuit y'est r'venu
Pour mettre un peu d'joie su' la terre
Dans l'cœur de ceux qu'ont d'la misère?
D'mand'z'y' queuq' chos'. Ça s'ra pas long
Qu'moi j'vais y fair' ta commission.
Veux-tu un' catin qu'a des ch'veux
Puis qui pleure en s'fermant les yeux?
Un p'tit carosse? un p'tit traîneau?
Des bottin's neuv's? des bons bas chauds?
Un' gross' toupie qui joue des airs?
Un beau chien rouge en nénan' clair?...»
(Justement, j'avais assez d'cennes
Pour y'ach'ter ça pour ses étrennes.)
En répons', la p'tit' s'met à m'dire
Su' l'ton d'un' personn' qui délire
Puis qui rêvass' tout en dormant:
«Dit's au Jésus qu'j'veux ma moman,
Rien qu'ma moman!»... Pauvr' p'tit' bougresse,
C'tait pas aisé d't'nir ma promesse!
Quoi fair'? quoi dir'? quoi y conter?...
D'un coup, a s'met à gigoter;
Son cœur battait qu'j'pouvais l'entendre!
Puis, avant que j'aie l'temps d'comprendre,

En rouvrant les yeux, a fait «Ah!»
Puis, a r'tomb' raid' mort' dans mes bras.
L'p'tit Jésus, en voyant sa peine,
V'nait donc d'y donner ses étrennes
En l'emm'nant au ciel su' l'moment
Pour qu'ell' vint r'trouver sa moman.

JASETTE À SAINT FRANÇOIS D'ASSISE

C'est moi, bon saint François d'Assise,
M'sembl' qu'on peut s'comprendr' tous les deux.
T'étais pauvr' puis poèt', qu'ils disent:
Tu vois, moi, j'rim' puis j'suis quêteux.

C'est pourtant vrai, t'étais poète!
Pauvr' mais l'cœur toujours su' la main;
T'aimais les oiseaux puis les bêtes...
Qui sont moins bêt's que l'genre humain.

D'ton temps, tu «cultivais les Muses»,
Comm' dis'nt les d'moisell's de salon.
À c't'heur' faut cultiver les... buses;
Sans ça, on crèv' puis c'est pas long.

Moi aussi, j'vis pas mal de même,
D'Idéal, de tout l'pataclan;
Seul'ment, tous les jours j'suis plus blême
Puis je r'serr' ma ceintur' d'un cran.

J'fais des vers, mais j'suis pas poète,
Quand mêm' que j'march', les yeux perdus,
Les ch'veux peignés à la fourchette,
Trist' comme un candidat battu.

L'hiver, quand j'gèl' su' ma paillasse,
L'inspiration s'en va r'voler.
J'me chauffe au feu d'l'enthousiasse,
Ça fait qu'mes vers ont les pieds g'lés.

C'est pas ça qui m'bourra la panse
D'écrir' des livr's, de fair' des vers.
Ç'a beau m'nourrir l'intelligence,
J'suis maigr' qu'on m'voit l'jour à travers.

Les gens sag's dis'nt qu'c'est pas pratique
Puis pas ben ben enrichissant.
Ça pay' pas comm' la politique,
Je l'sais, mais c'est moins salissant.

J'suis pas d'ceux qui tap'nt su' la panse
Des grands pour avoir des cadeaux;
J'aim' ben mieux mon indépendance
Puis l'plaisir d'leu tomber su' l'dos.

Si j'étais ministre ou ben maire!!
Ça, au moins, ça prend pas d'talent.
Mais, j'ai pas la boss' des affaires,
Ça fait que j'vis en tirâillant.

Le nez collé su' les vitrines
Des restaurants tout pleins d'becs fins,
L'estomac creux, l'eau aux babines,
J'en r'gard' manger qu'ont jamais faim.

Y'a ben des journées que j'me couche
En plein vent dans l'carré Viger,
Des fils d'araignée plein la bouche
À forc' d'avoir rien à manger.

Puis quand j'rentr' chez nous dans ma ruelle,
Le soir, j'grimpign' mon escalier
Aux march's creusées comm' des écuelles…
J'suis à bout, j'ai envie d'brailler,

D'brailler d'dégoût, faut ben m'comprendre!...
Malgré tout, j'ai l'cœur plein d'espoir.
D'l'espoir? D'l'espoir, j'en ai à r'vendre!
J'en aurai jusqu'au dernier soir...

La vie, c'est pas toujours ben rose;
Mais quand j'trouv' que c'est trop forçant,
J'rimaill' des vers, j'barbouill' d'la prose;
C'est mieux que d'fair' du mauvais sang...

Qu'on soit quéteux, qu'on soit poète,
Y'a du bonheur, — j't'en donn' mon r'çu, —
À manger du pain qu'est honnête...,
Quand mêm' qu'on s'ébrèch' les dents d'ssus.

Toi qu'as su rimer des cantiques,
Bon saint François, te v'là aux cieux.
Pense aux quéteux, c'est tes pratiques,
Pense aux poèt's, c'est des quêteux!

MÉDITATIONS D'UN GUEUX AU PIED DE LA CROIX

À soir que c'est l'Vendredi saint,
J'ai comm' queuqu' chose en moi qui se plaint,
Comm' queuqu' chos' qui m'fait mal, quand j'pense,
Mon pauvr' Seigneur, à vos souffrances.
J'ai hont', j'suis trist', j'suis déconfit
Chaqu' fois qu'je r'gard' votre crucifix.
Ah! je l'sais ben, ma foi vous semble
Comm' la flamb' du lampion qui tremble!...
Pendant qu'je r'pass' dans ma mémoire,
Votr' vie, votr' mort, tout' votre histoire,
Me sembl' que j'rêv', que j'ai l'pesant:
J'suis avec vous, vous êt's vivant;
Je vous suis partout, j'peux vous entendre,
Mais j'peux rien fair' pour vous défendre
Et tout s'pass' comm' quand vous viviez...

Nous v'là dans l'p'tit bois d'oliviers;
Vous v'nez d'tomber en agonie
En voyant qu'votr' vie est finie.
Oui! ils sont finis les beaux jours
Que la foul' suivait vos discours,
Le jour de l'entrée triomphale
Et des hosannas en rafales;
Les jours que c'était votr' bonheur
De soulager tout's les douleurs,
De dire aux gueux mordus d'souffrance
Des mots qui parlaient d'espérance;
De s'mer les miracl's à plein's mains,
Le long des rout's et des grands ch'mins;
De promettr' vos Béatitudes
À ceux qui s'rongeaient d'inquiétudes;
D'multiplier l'poisson et l'pain

Pour nourrir ceux qui crevaient d'faim;
De rendr' pur comm' l'eau d'la fontaine
L'cœur sali d'la samaritaine;
De sortir Lazar' d'son cercueil
Pour consoler ses sœurs en deuil...
(Paraît qu'rien qu'à toucher votre ombre,
On s'sentait moins gueux et moins sombre) —
Mais, à soir, tout ça c'est fini!
Nâvré d'sueurs dans l'Gethsémani,
Écrasé sous les crim's d'la terre,
Vous êt's seul devant votr' misère;
Tout seul à r'garder votr' malheur
Qui tourne en rond au fond d'votr' cœur.
Devant votr' pauvre âme abîmée,
(Comme un film aux vues animées)
Vous voyez passer tout l'av'nir
Et ç'a ben d'quoi vous fair' blémir,
Vu qu'ça vous donn' la triste chance
De vous rendr' compt' tout d'suit' d'avance,
Qu'chacun d'nous autr's est un pécheur
Qui cherche à vous marcher sur l'cœur,
Et de voir que votr' sacrifice,
Seigneur, rest'ra sans bénéfice
Pour tant qui r'fus'ront d'croire en vous
Et qui os'ront vous traiter d' fou...
Ah! mêm' ceux qui dis'nt qu'ils vous aiment
Sont des ingrats qui vous blasphèment!
Ça, ça fait plus mal qu'les soufflets,
Les épin's, les clous, les coups d'fouets,
Vu qu'votr' pauvr' cœur, quand on l'offense,
Souffr' plus d'ça qu'd'un million d'coups d'lance.
... Et dir' que j'sais tout ça, Seigneur,
Et qu'pourtant, ça m'rend pas meilleur,
Mais qu'tout's mes promess's solennelles
Ça fond comme du beurr' dans la poêle!...

Tandis que vous suez jusqu'au sang
Sans même un mot compatissant,
Y'a pas un d'vos discipl's qui veille.
Non! ils dorm'nt sur leurs deux oreilles!
Pourtant, Seigneur, vous êt's l'ami
Qu'ils trouvaient jamais endormi...
Mais v'là du mond' dans la clairière
Avec des gourdins, des lumières;
Ils vienn'nt vous surprendre à p'tits pas.
En têt' de leur band', v'là Judas,
Judas! Ah! l'visage à deux faces!
Pour vous trahir, il vous embrasse!...
Ils sont v'nus à la gross' noirceur
Vous arrêter comme un voleur.
Y'étaient ben trop lâch's pour attendre
Qu'il fass' plein jour pour v'nir vous prendre;
C'est ben pour dir' que la Bonté,
On n'attaqu' jamais ça d'clarté!
Mais, vous, au lieu d'y chercher noise,
Vous voulez mettr' Judas à l'aise,
Vu qu'vous savez, comm' de raison,
Qu'sans amis y'a pas d'trahison,
Et vous lui dit's: «Bonjour, ami!»
Comm' s'il vous avait pas trahi.
«Bonjour, ami!» Quel cœur de pierre!
Entendr' ça sans rentrer sous terre!
... Puis, dans la nuit couleur de peur,
Couleur d'horreur et de malheur,
Pour que notr' salut s'accomplisse,
Vous marchez vers votr' sacrifice...
Vos discipl's qui s'sont réveillés,
Les yeux encor' tout embrouillés,
Vous r'gard'nt partir, ... puis, par prudence,
Ils s'mett'nt à suivre, mais à distance.
Ils sont prudents... On l'est pas moins:
Quand on vous suit, Seigneur, c'est d'loin!

... Vous v'là tombé entre les griffes
Des deux vauriens, Anne et Caïphe.
Eux autr's qui mèn'nt des vies d'damnés
Cherch'nt un' raison d'vous condamner.
Mais malgré les faux témoignages
Ils trouvent rien; ça les enrage.
Leurs avocats les plus retors
Os'nt pas dir' c'qu'a été votr' tort.
Votr' tort, Seigneur? C'été, par 'xemple,
De chasser les banquiers du temple!
C'est là qu'votr' trouble a commencé.
Tant qu'vous avez rien qu'bavassé
D'amour, de bonté, d'espérance,
Ça leur dérangeait pas la panse.
Ils vous prenaient pour un jaseur,
Un fou, un poète, un rêveur.
Mais, vous l'z'avez pincés dans l'maigre,
Ces honnêt's messieurs d'la Haut' Pègre,
En bousculant leurs coffres-forts!
C'pour ça, Seigneur, qu'ils veul'nt votr' mort,
Et c'est rien qu'par hypocrisie
Qu'vous êt's accusé d'hérésie!...
Tandis que votr' vie est en jeu,
Pierr' tranquill'ment s'chauff' devant l'feu.
Seigneur, y'est comm' moi, il vous aime;
Ça l'empêch' pas d'vous r'nier tout d'même
Quand on d'mand' s'il est votre ami!...
Mais le v'là qui pleur', qui blémit;
Il vient d'entendr' le coq qui chante
Là-bas, dans l'ros' d'l'auror' montante...
Ah! qu'il faut que j'pleur' mes lâch'tés,
Moi 'ssi, Seigneur, pour me rach'ter!...
... Ils veul'nt votr' mort! Y'ont tell'ment hâte
Qu'aux p'tit's heur's vous v'là chez Pilate.
Pilate lui, c'est un cœur mou,
Un ménageux de chèvre et d'chou.

Y'est comm' ben des gens qu'on rencontre,
Qui os'nt pas s'dir' pour vous ni contre.
Il voudrait ben vous protéger,
Vous sauver..., mais sans s'déranger.
Il s'rait mêm' prêt à vous fair' grâce
Mais pas au risqu' de perdr' sa place!...
... Pour qu'les amis soient satisfaits,
Pilat' vous fait battre à coups d'fouets.
Ils fess'nt avec leurs fouets à nœuds
Des coups à vous couper en deux.
Me sembl' qu'les coups qui tomb'nt en pluie
Sur l'biais de vos épaul's meurtries
Vienn'nt me r'tontir jusque su' l'cœur...
... Puis, v'là qu'ils vous couronn'nt, Seigneur!
Couronn' de gloire ou ben d'affront,
Un' couronn', ça vous meurtrit l'front;
Qu'ell' soit en or ou en pierr's fines,
C'est toujours un' couronn' d'épines...
... Vous voyez c'qu'ell' vaut, notre justice;
Vous v'là condamné au supplice!
... C'est encor de mêm' su' la terre;
C'est Barabbas qu'on vous préfère,
C'est encor' lui qu'est acclâmé,
Qu'est honoré, suivi, aimé!...
Puis on vous train' d'peine et d'misère
Pour vous monter jusqu'au Calvaire.
Il faut monter, vu qu'la Douleur,
Ça fait monter, c'est comm' l'honneur;
Tandis qu'il faut rien qu'on s'abaisse
Pour se ramasser d'la richesse...
... Paraît qu'c'est dans l'sabl' du Calvaire
Qu'est enterré Adam, notr' père;
Ils vont planter votr' croix là-d'dans,
Tout juste au-d'ssus d'la foss' d'Adam,
Pour que votr' sang lav' dans son onde
L'front du premier pécheur du monde...

Puis, v'là qu'tout seul, entr' ciel et terre,
Vous priez en pleurant votre Père...
Mais vl'à qu'tout l'monde hurle à la fois
En s'bousculant au pied d'votr' croix!
Vous d'mandez d'où qu'ça vient ces cris?
Ça vient d'ceux qu'vous avez guéris!
Vos aveugl's vous r'gard'nt, les yeux louches;
Vos muets blasphèment à plein' bouche;
Vos sourds écout'nt en ricanant;
Vos boiteux dans'nt en s'dandinant...
Écoutez-les! Leurs cris de rage
Pass'nt sur l'Calvaire en vent d'orage!
Écoutez! C'est l'humanité
Qui vous remercie d'vos bontés!...
Pour vous r'venger à votr' manière,
Tout c'que vous dit's, c'est un' prière:
«Ah! pardonnez-leur, vu qu'au fond,
Mon père, ils sav'nt pas ce qu'ils font»...

Oui! c'est d'ma faut', Seigneur, j'vous crois,
Si vous v'là cloué su' la croix.
Quoi fair'? quoi dir'?... J'ai pas d'parole
Qui vous soulag', qui vous r'console.
Seul'ment, j'pense à tout's vos bontés
Et j'ai plus hont' d'mes méchanc'tés.
D'vant votr' souffranc', tout c'que j'peux faire,
C'est d'rester d'même, à g'noux à terre,
Les yeux dans l'eau, à vous r'garder,
Comm' mon chien quand i' m'voit pleurer...
Et moi, Seigneur, qu'est mêm' pas bon
Autant que l'pir' des deux larrons,
J'vous d'mande au pied d'votr' crucifix,
Un p'tit racoin dans l'Paradis!

Bonjour, les gars!
(1948)

BALLADE DE BONNE VIE
à la manière de Maistre Françoys Villon

Adonc, amis qui m'écoutez,
Oyez mes avis salutaires:
«Labeur est fatal à santé;»
«Mal est payé qui trop s'affaire».
«Lors, fol est qui trime sur terre».
Vivez les jours de l'almanach,
Si m'en croyez, à ne rien faire:
Plus on s'échine et moins on a.

Plus sage est de fainéanter
Sans qu'onc souci ne vous atterre,
Pieds sur bureau, bien encanté,
Comme ministre en ministère
Qui, boucanant comme cratère,
Déguste en paix son havana.
Fi du labeur tant délétère:
Plus on s'échine et moins on a.

Oncques ne vous laissez tenter
Par gens ne remuant paupières
Qui travail savent tant vanter;
Vivez plutôt à ma manière.
N'ai de crevasses qu'au derrière;
Mon rond de cuir me les donna.
Toujours muser est ma carrière:
Plus on s'échine et moins on a.

«Prince, faites-vous fonctionnaire,»
Sagesse ainsi m'arraisonna.
Pourquoi œuvrer en mercenaire?
Plus on s'échine et moins on a.

SUR LA GRANDE GUERRE

J'ai pas voulu rien dir' d'la guerre
Que tout notr' mond' vient d'traverser.
Dans l'fond, j'sais qu'j'suis ben mieux d'me taire:
J'en dirais trop ou pas assez...

La guerr', mes vieux, quand on y pense,
Ç'a bourré un lot d'coffres-forts
À des messieurs à la gross' panse,
Tandis que nos soldats sont morts.

Pendant qu'nos gars gagnaient d'la gloire,
Des médaill's puis des citations,
Ben d'autr's rêvaient pas d'autr' victoire
Que cell' d'la bataill' des millions.

On sauvait la «Démocratie»,
La «Liberté», et cétéra.
Mais, j'crois qu'c'est la «DÉMOCRASSIE»,
Après tout, qui nous restera.

J'parle tout seul quand Jean Narrache
(1961)

SOIR D'HIVER DANS LA RUE SAINTE-CATHERINE

À soir, sur la rue Saint'-Cath'rine,
Tout l'mond' patauge et puis s'débat
En s'bousculant d'vant les vitrines,
Les pieds dans d'la neig' chocolat.

Eh oui! la neig' blanche en belle ouate
Comm' nos beaux rêv's puis nos espoirs,
Comm' c'est pas long qu'ell' r'tourne en bouète
Un' fois qu'elle a touché l'trottoir!

La foule, ell', c'est comme un' marée
Qui moutonne en se j'tant partout
Comme un troupeau d'bêt's épeurées
Que tout l'tapage a rendu fou.

Pourtant, ça l'air d'êtr' gai en ville.
Mêm' la plaint' des plus malchanceux
S'perd dans l'train des automobiles
Et d'z'autobus pleins comm' des œufs.

Y'a du vieux monde, y'a des jeunesses;
Ça march', ça r'gard', ça jas', ça rit.
Ç'a ben l'air que tout's les tristesses
Dorm'nt dans les cœurs endoloris.

Y'a ben des jeun's coupl's qui s'promènent,
Bras d'ssus, bras d'ssous, d'un air heureux,
Puis des vieux, tout seuls, l'âme en peine,
Qui march'nt pour pas rentrer chez eux.

Les lamp's électriqu's jaun' verdâtre
Meur'nt puis s'rallum'nt en s'courâillant
Tout l'tour des d'vantur's des théâtres,
Qui montr'nt des films ben attrayants.

Ah! les p'tit's vues, quel curieux monde!
Les beaux films d'richesse et d'amour,
Ça fait oublier, un' seconde,
Notr' pauvr' vie plat' de tous les jours.

On s'croit heureux, on s'croit prospère
Tandis qu'on est au cinéma.
Y'a-t-il pas jusqu'aux millionnaires
Qu'oublient leurs ulcèr's d'estomac?...

Des bureaux annonc'nt qu'ils financent
Les pauvres gueux qui veul'nt d'l'argent;
C'est d'z'usuriers qu'ont un' licence
Pour étriper les pauvres gens.

Des crèv'-faim rentr'nt dans des mangeoires
S'emplir d'hot-dogs ou d'spaghetti
Et d'café plein d'chicorée noire;
Au moins ça leur tromp' l'appétit.

D'autr's qui sont un peu plus à l'aise
Vont entendr', dans des boît's de nuit,
Brailler des chansonnett's françaises
En buvant du whisky réduit.

La chanteuse est dépoitrâillée,
Ses couplets sont pas mal salauds,
Mais ça fait passer un' veillée
Sans penser aux troubl's du bureau.

D'autr's qui veul'nt se bourrer la panse
Rentr'nt dans des gargott's à grands prix
Pour manger d'la cuisin' de France
Et boir' du vin comme à Paris.

Ah! leur fameus' cuisin' française
Qu'est cuit' par des chefs italiens,
Puis qu'est servie par des Anglaises
Dans des restaurants d'Syriens!

Puis l'vin qui boiv'nt, c'est d'la piquette
Baptisée par la Commission;
C'est du vrai vinaigr' de toilette
Bon pour donner d'z'indigestions...

D'autr's vont chez les apothicaires
S'ach'ter des r'mèd's ou d'la lotion;
D'autr's qu'ont pas l'estomac d'équerre
Rentr'nt fair' remplir leurs prescriptions.

D'autr's long'nt la rue, pleins d'idées noires,
Les yeux dans l'vide et puis l'dos rond...
D'autr's rentr'nt dans les tavern's pour boire.
Ils sont tannés d'vivre, ils s'soûl'ront.

Un' tavern', c'est si confortable!
C'est du grand luxe au prix d'chez eux.
Joues dans les mains, coud's sur la table,
Ils r'gard'nt la broue d'leur verr' graisseux.

Puis, tranquill'ment ils tèt'nt leur bière...
— Ils grimac'nt, ça goût' l'arcanson! —
Tout en oubliant leur misère,
Leur femm', leurs p'tits à la maison.

Ici, ils sont loin d'leur marmâille;
Y'voient pas leur femm' n'arracher;
Y'entend'nt pas l'p'tit dernier qui braille
Ni les autr's qui veul'nt pas s'coucher...

... Mais un coupl' qu'un beau rêve entête
Pense à s'monter un «p'tit chez-eux»;
Ils r'gard'nt les bers et les couchettes
Dans un' vitrine... ils sont heureux!

Ils sont heureux, la vie est belle!
Ils s'voient déjà dans leur maison,
Ell' tout' pour lui, lui tout pour elle:
Les v'là déjà en pâmoison!...

Ils sont heureux!... Ça vaut la peine
D'arrêter d'marcher pour les voir.
Ils sont heureux dans la rue pleine
De gens qu'ont l'air au désespoir!

Ça, ça me r'fait aimer la vie
Qu'est si chienn' pour les vieux pourtant,
Vu qu'ça m'rappell' la bell' magie
De s'aimer quand on a vingt ans.

LA MONTRE-BRACELET

Tout à l'heur', j'ai eu un' vraie frousse
En r'gardant un' p'tit' montr'-brac'let
Pas plus grand' que l'ongl' de mon pouce.
Vous m'croirez pas, mais ell' m'parlait.

Ell' m'disait: «L' p'tit r'ssort qui s'démène
Dans mon boîtier gros comme rien
Mesur' les bonheurs et les peines
Des rich's, des pauvr's et des vauriens.

«Mon p'tit tic-tac grug', miett' par miette,
La vie des pap's comm' cell' des rois,
Cell' des savants, cell's des vedettes
Et cell' des pauvres gueux comm' toi.

«T'as beau vouloir que ta joie dure
Mais qu'tes malheurs pass'nt à grands pas,
Tu vois qu'ça chang' pas mon allure.
Pleur', ris, chant', chiâl', ça m'dérange pas.

«Ça t'donn' pas l'frisson quand tu penses
Que mes aiguill's fin's comm' un ch'veu
Marqu'nt chaqu' minut' que tu dépenses
Puis qu'chaqu' minut', tu meurs un peu?...

«Hein? mon p'tit vieux, v'là qu'ça t'épeure!
Te v'là qui penses en transpirant
Qu'un' fois, ça s'ra ta dernière heure
Qui s'ra marquée sur mon cadran.

«La vie, c'est rien qu'quelqu's tours d'aiguilles.
D'mand'-toi donc s'il t'en rest' beaucoup
Avant l'moment qu'tu décanilles
Pour aller prendr' ton dernier trou!»

J'REST' VAGABOND

Dans mon jeun' temps, j'rêvais d'êtr' riche;
ça fait longtemps qu'j'en suis r'venu.
J'ai pas un sou, ça fait qu'j'me fiche
de m'sieur l'inspecteur du R'venu.

Non, j'me fais pas d'cravass's! j'sais que
quand mêm' j'travaill'rais à tord-cou,
j'tir'rai toujours l'yâbl' par la queue
et j'me trouv'rai toujours dans l'trou.

Tout' c'que j'aurais, c'est des ulcères,
des cramp's puis d'z'indigestions.
J'irais finir au dispensaire
comm' beau sujet d'vivisection.

Là, j'prendrais les nouveaux remèdes
qu'les fabricants font essayer
sur les pauvr's gueux qu'ont besoin d'aide;
s'ils crèv'nt, tant pis, y'ont pas payé!

Travailler, c'est tout c'que ça donne.
Plus on s'éreinte et moins on dort;
plus on s'démèn' puis s'époumone,
plus vite on s'en va chez l'croqu'-mort.

J'laisse aux autr's leurs rêv's de richesse;
j'prends dans la vie tout c'qu'elle a d'bon.
Que ceux qui veul'nt se fass'nt d'la graisse,
j'suis ben comm' j'suis, j'rest' vagabond!

JASPINAGES

Nos lumières

Nos députés, c'est des lumières
qui m'font penser aux mouch's à feu.
Y'ont tout leur éclat dans l'derrière
et ça éclair' rien qu'les suiveux.

Autre prière

On a pus un sou quand on crève
avec les bons soins des docteurs.
Pour qu'il rest' quelqu' chose à ma veuve,
fait's que j'meur' subit'ment, Seigneur!

Avertissement

Pour qu'l'écrivain s'fass' pas d'chimères
en m'nant un' vie de bric-à-brac,
à l'entrée d'la «voie littéraire,»
qu'on mett' donc une affich': «CUL D'SAC»!

L'espoir

Nourrir d'l'espoir dans notr' jeunesse,
c'est naturel; tout nous sourit
jusqu'à c'qu'on trouv', dans notr' vieillesse,
qu'l'espoir nous a jamais nourri.

Bilinguisme

Êtr' bilingue! Ah! quel avantage!
Pouvoir prendre à la radio
deux fois plus d'romans-savonnage
et de commentair's idiots!

La belle toilette

Fait's-vous pas trop d'illusions
sur un' toilett' ben amanchée.
Après tout, l'plus beau papillon,
c'est rien qu'un' ch'nille endimanchée.

La musique moderne

Tout' la grand' musiqu' modern', j'pense
qu'c'est du vacarme organisé.
Mais l'don qu'on peut pas lui r'fuser,
c'est d'nous faire aimer mieux l'silence.

Économie

Ménag', t'auras ta récompense
quand le trent' d'avril s'ra venu:
tu pourras p't-êtr' payer, — quell' chance! —
tout ton impôt sur le r'venu!

Vieillesse

Quand on est jeune, on fait des rêves,
on s'bâtit des projets d'av'nir.
Mais c'est un sign' qu'notr' vie achève
quand on brass' plus rien qu'des souv'nirs.

Les avocats

Plaid' jamais, vu qu't'es sûr d'avance
qu'un' fois pris entr' deux avocats,
pour t'en tirer t'as pas plus d'chance
qu'un poisson pris entre deux chats.

Le secours

Fiez-vous pas à tout l'mond'. C'est drôle
mais ça s'pourrait qu'vous vous trompiez!
Quand vous d'mand'rez un coup d'épaule,
des fois, vous r'cevrez un coup d'pied.

Sans taxes

Un d'ces bons jours, faudra qu'tu crèves;
à quoi ça sert de t'tracasser?
Ris à la vie et fais des rêves,
puisqu'y a rien qu'ça qu'est pas taxé.

Vivre et écrire

Jeunes on voulait vivr' pour écrire;
on barbouillait sans s'fatiguer.
C'était l'beau temps, y'a pas à dire,
mais écrir' pour vivr', c'est pas gai!

Poèmes retrouvés
(1929-1935)

L'RADIO

Aux amateurs de radio et pour lire après «minuit» en attendant que la «réception soit bonne».

J'en connais qu'ont l'asthme ou bien l'rhume;
D'autr's ont des clous ou d'autr's bobos,
La picot' noir', des aposthumes,
Puis d'autr's qu'ont l'mal du radio.

Ils parl'nt seul'ment d'lamp's puis d'antennes,
De statique, d'post's éloignés;
Et puis, un' chos' qui m'fait d'la peine,
C'est qu'on n'peut rien pour les soigner.

Ils dis'nt qu'ils ont des bonn's machines,
Qu'ils peuv'nt entendre au diable au vert,
Aux États, au Japon, en Chine
Et peut-être encore en enfer.

Le radio, c'est bien magique,
Mais, vrai! ça ne dat' pas d'hier,
Vu qu'tous les discours politiques
Ont t'jours été des mots en l'air.

J'ris, bien, n'empêch' que ça m'tracasse,
Le radio, vu que p't' êtr' bien
Qu'il pourrait arriver qu'ça fasse
Plus d'mal que d'bien aux Canadiens!

Vous savez quell' sort' de musique
Que l'radio fait tous les soirs;
Ça l'air des dans's d'épileptiques
Ou bien d'soûlauds sur le trottoir.

Ça d'la musiqu'? Pas pour un' cenne!
Mais c'est comm' ça qu'on s'gât' le goût.
C'est d'la culture américaine
Que l'radio répand partout.

Où sont donc nos vieill's chansons d'France,
Nos quadrill's, nos dans's de chez nous?
Non, mais, ça s'rait-il vrai, bondance,
Qu'on va danser comm' des Zoulous!

AU BANQUET DE DAVID OU EXCUSES

(Au dîner des Auteurs canadiens, qui avait lieu samedi soir au Cercle universitaire, Jean Narrache [Émile Coderre], l'auteur de *Quand j'parl' tout seul*, s'était excusé de ne pouvoir assister par l'envoi suivant, adressé à M. Albert Lévesque, secrétaire adjoint de l'Association.)

Au banquet de David, peu fortuné convive,
J'peux pas aller manger, j'ai rien à m'mettr' su' l'dos:
Faut rien qu'un bout d'crayon pour composer un livre,
Mais pour être un auteur, ça prend un «tuxedo»!

J'espèr' qu'vous m'excus'rez, monsieur le secrétaire...
Quand mêm', j's'rais mal à l'aise avec tous ces messieurs,
Si j'me mettais un frac pour cacher ma misère
J'pourrais t'jours pas cacher ma min' de pauvre gueux!

Présentez mes respects à ces messieurs et dames,
À DesRochers, Choquette et pis Harry Bernard;
Dit's leu que d'son p'tit coin Jean Narrach' les acclame
Et qu'pour eux y'est content qu'la gloir' vienn' pas trop
tard!

4 novembre 1932

BALLADE SUR UN DICTON DES GENS DU NORD
à Valdombre

Quand l'vent d'soroît creus' des grands plis
Dans l'foin qui r'mue comme un' tignasse,
Qu'la boucan' s'couch' su' les brûlis,
L'mond' se dit: «L'temps est à la m'nace,
Sauvons-nous avant qu'i' mouillasse
Pis que l'tonnerr' s'mette à gronder,
On va s'fair' saucer la carcasse:
L'temps s'morpione, i' va grignonder.»

À chaqu' jeun' faiseux d'vers que j'lis,
J'dis toujours: «Fais-toé pas d'cravasses,
Ton livr' s'ra sûr'ment démoli!
T'es naïf, si tu crois, pauvr' Gnasse,
Qu'la Critiqu' c't'un' fill' qui s'prélasse
Avec des gens pas r'commandés.
Pour l'z'inconnus, ell' s'montr' coriace:
L'temps s'morpione, i' va grignonder.

Y'assez longtemps qu'on est emplis
Pis qu'on s'laiss' tirer des grimaces
Par des piss'-vinaigre accomplis;
Ça peut pu's fair', faut plus qu'ça fasse.
On a fini d'êtr' des bonasses,
C'est notr' tour d'les épivarder
Pis d'leur rire au nez en plein' face:
L'temps s'morpione, i' va grignonder.

Princ', mais que j'publie mes pap'rasses,
J'm'en fous si j'me fais échauder;
Je l'sais qu'Valdombr' m'pass'ra la masse:
L'temps s'morpione, i' va grignonder.

21 décembre 1932

LA BALANCE DU PHARMACIEN

L'officine n'a plus l'air tragique et sévère
Du retrait où Flamel, risquant de se damner,
Surveillait ses fourneaux sous un masque de verre
Et transmuait en or le sang des nouveau-nés.

Elle n'a rien, non plus, qui soit épouvantable
Comme cette sinistre et sombre «loggia»
Où furent préparés les philtres redoutables
Qu'à ses festins servait Lucrèce Borgia.

Mais au milieu des rangs multiples de bouteilles,
La balance à l'aspect pourtant inoffensif
M'a souvent effrayé durant les soirs de veille
Où, las d'étudier, je m'arrêtais, pensif.

Dans l'ombre, elle brillait, fragile et délicate
Comme un jouet auquel on n'ose pas toucher...
D'un souffle elle oscillait sur ses couteaux d'agate,
Et le poids d'un cheveu l'aurait fait trébucher.

Et, parfois, retenant avec soin mon haleine,
Je pesais un toxique aux perfides cristaux
En songeant que le poids d'une existence humaine
Était bien peu de chose au fond de ces plateaux.

CHEVAL DE CARROUSEL

En souvenir du vieux cheval qui faisait
tourner les «petits chevaux de bois» du
parc Sohmer, il y a... trente ans!

Au milieu du tapage et des éclats de voix
Auxquels un orgue faux vient mêler sa musique,
Fais tourner les badauds sur tes chevaux de bois,
Fais-les tourner, tourner, ô vieux cheval étique!

Tête basse, jarrets tendus, poitrail bombé,
Fais-les tourner, tourner sur ta lourde machine;
Sans plainte, sans révolte, impassible et courbé
Sous le fouet dont les nœuds te lacèrent l'échine.

Puis, ce soir, quand le parc sera désert et clos,
Et que la foule aura regagné ses demeures,
Repose-toi... Demain, tu reprendras ton lot,
Le même, chaque jour, jusqu'à ce que tu meures!...

Et ce lot, n'est-ce pas celui de tant d'humains
Qui, gagnant avec peine une maigre pitance,
Sans jamais espérer de meilleurs lendemains,
Tournent toujours en rond dans la même existence?

BALLADE À BAPTISTE LEROUGE

Liber-hâbleur? libé-râleux?
C'est-i d'mêm' qu'on appell' l'att'lage
Des gâs à moitié roug's pis bleus
Qui vienn'nt just' de s'mettre en ménage?
J'comprends rien dans leu tripotage,
J'crois qu'c'est un parti carreauté,
Un' belle amanchur' de chantage;
C'est un parti d'Duplessité.

Moi 'ssi, Baptist', j'suis rien qu'un gueux,
Mais j'me méfie des emplissages,
Des dévouements à grands râlages
Des gens qui sont rien qu'des envieux.
Ça m'impression' pas leu chiâlages,
Leur éloquenc', ça m'fait roter.
Leu parti, c'est un attrapage,
C'est l'parti d'la Duplessité.

Lundi, c'est la journée, mon vieux,
Pour offrir notr' cadeau d'mariage
Pis leu passer les beign's aux deux,
Les beign's pis un bon balayage!
Y s'imagin'nt p't-êtr' ben, j'te gage,
Qu'c'est pour eux autr's qu'on va voter!
Moi, j'y promets un savonnage
Au parti d'la Duplessité.

Princ', quand viendra l'jour du votage,
Va fair' ta croix su l'bon côté;
Vot' contr' c't'embarlificotage
Qu'est l'parti d'la Duplessité.

23 novembre 1935

PROSPÉRITÉ

On est-i heureux en pépère!
Pus d'Secours direct ni d'vie d'chien!
Les ex-quêteux sont si prospères
Qu'ils viv'nt au-delà d'leurs moyens.

Finis les banquets d'«beans saignantes»
Et les r'pas d'moutarde au pain sec
Comme avant mil neuf cent quarante!
À c't'heur', c'est l'steak... puis l'scotch avec.

Pour s'ach'ter du luxe et d'l'aisance
On se r'fus' les nécessités.
On a les yeux plus grands qu'la panse.
Quoi? C'est ça, la Prospérité!

Ben, voyons donc! Vogu' la galère!
Dépensons tout à tour de bras.
À quoi ça sert, des gros salaires,
Mes vieux, si on les dépens' pas?

Hein? Ménager quand on est riches,
En cas qu'tout ça aurait un' fin?
Nous prenez-vous pour un lot d'chiches
Ou ben pour un lot d'Séraphins?

Vous allez dir' qu'on perd la tête,
Qu'on s'conduit tous comm' des déments;
Qu'on dépens' trop puis qu'on s'endette?
On fait comm' notr' gouvernement.

L'gouvernement, y'est comm' tout l'monde,
Il gaspill' l'argent à tord-cou.
Il donn' pas l'exemple un' seconde
En ménageant au moins quelqu' sous.

Nos députés ont un' fringale
D'étudier puis d's'meubler l'esprit;
Ils vont suivr' des cours… plac' Pigalle
Et dans tous les beuglants d'Paris;

Leur faut un' nuée d'secrétaires,
D'sous-secrétair's et autr's commis
Pour s'tourner les pouc's à rien faire.
Faut ben qu'ils cas'nt tous les amis!

Nos r'présentants sont des génies
Qui parl'nt à travers leur chapeau
Au Conseil des Nations unies,
Tandis qu'notre argent coule à flots.

Notr' fameus' radio canadienne
D'puis des années coût' des millions
Pour quelqu's programm's qui val'nt la peine!
… Parlez donc d'la télévision!

Parlez-en. Moi j'aim' mieux rien dire!
Nos enfants sont d'jà hébétés
À forc' de suivr' comme en délire
Les programm's de C.B.F.T.

On dépense, on jouit, on s'démène;
On s'trémousse, on est affairés.
On pay' tout un' piastr' par semaine,
Et viv'nt les paiements différés!

On n'est pas assez imbéciles
Pour vivre avec modération.
Emprunter d'l'argent, c'est facile:
Y'a les Financ' Corporations!

On est heureux!... On s'fait d'z'accroires!
À forc' de s'en faire on s'morfond.
Un' fois sur la réfléchissoire,
On s'sent tous ben inquiets dans l'fond.

R'gardez un peu chacun qui passe,
Ça s'voit jusque dans son marcher.
Doit y'avoir quelqu' chos' qui l'tracasse
Puis qui lui en fait arracher.

Dans notr' siècl' de bombe atomique
On pass' notr' vie le cœur serré.
Jusqu'à nos grands homm's politiques
Qui sont rien qu'un' band' d'épeurés.

Tout l'mond' se mang', tout l'mond' s'déteste;
On sait pas trop c'qui va s'brasser.
Bonn' Sainte Vierg'! ça s'rait ben l'reste
Si la guerre allait r'commencer!...

Moi qu'est du faubourg à la m'lasse
J'suis inquiet comm' ceux d'Outremont.
Et le gros monsieur qui s'prélasse
En Rolls Royce est comm' moi dans l'fond.

Y'est pas plus heureux d'sa richesse
Que moi je l'suis d'ma pauvreté;
Y'a beau fair' voir qu'y'a pas d'tristesse,
Son rir', c'est un rire avorté...

(Archives du Séminaire de Nicolet)

Émile Coderre vers 1922, à l'époque de la publication de ses premiers poèmes sous le titre de *Signes sur le sable*.

Émile Coderre et son épouse au début de leur mariage.

Page couverture du premier texte publié des *Rêveries* de Jean Narrache, série d'abord radiodiffusée à Radio-Canada (1941).

Page couverture des poèmes de Jean Narrache, *J'parl' pour parler* (1939).

Dans les studios de CKAC pour la série *Le vagabond qui chante*. De g. à dr.: Félix Bertrand, musicien, Paul-Émile Corbeil, interprète du personnage du Vieux Vagabond, et l'annonceur, Roger Baulu.

Jean Narrache en compagnie de l'interprète du Vieux Vagabond, Paul-Émile Corbeil.

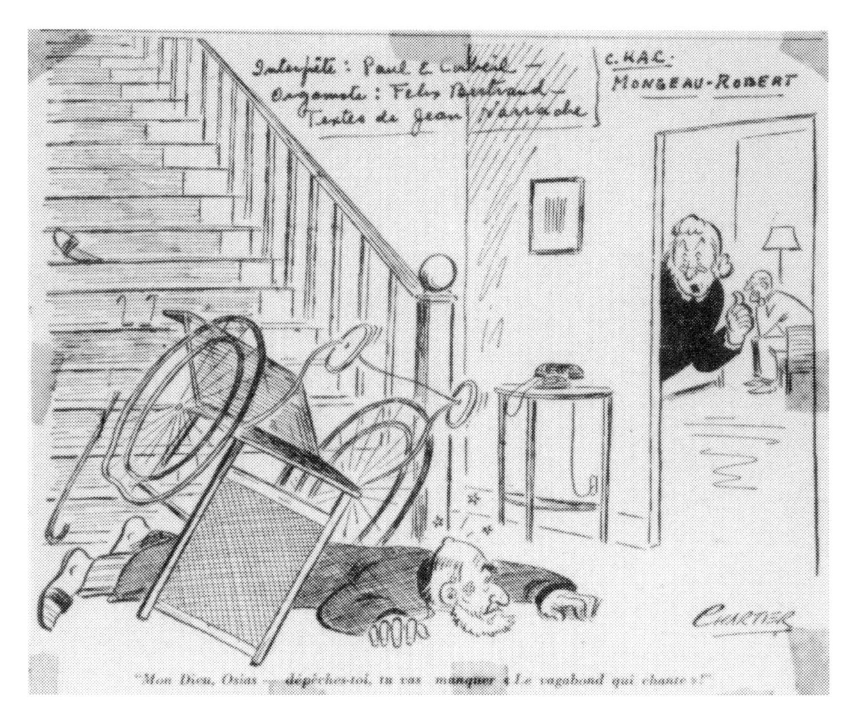

Caricature signée Chartier pour *Le vagabond qui chante,* publiée dans le journal *Radiomonde* du 1er février 1848.

«Mon bureau en plein air». Photo pour la chronique de *La Patrie du dimanche.* Jean Narrache adressait ainsi un texte à son ami Alfred DesRochers: «Mon cabinet de travail sous le parasol de *La Patrie,* face à la mer.»

Émile Coderre dans son bureau de secrétaire registraire du Collège des pharmaciens en 1951.

Signature du livre d'or de l'hôtel-de-ville de Montréal. De g. à dr.: le maire Sarto Fournier, Émile Coderre, Georges Chalifoux.

Madame Rose-Marie Coderre vers la fin de sa vie.

Émile Coderre vers la fin de sa vie.

J'parl' pour parler

Chroniques de «La jasette humoristique d'actualité», *La Patrie* (1938-1944)

Un philosophe dans la rue

— La philosophie la plus pratique consiste à trouver des moyens (les moyens pécuniaires compris) et des raisons (même trompeuses) de vivre.

— La philosophie nous apprend qu'il y a plus de bonheur à poursuivre un but qu'à l'atteindre. Ceux qui croient cela n'ont jamais couru à la poursuite d'un tramway, le soir, à la pluie.

— L'humour est à la vie ce que l'anse est à la tasse; il sert à la prendre sans se brûler les doigts.

— La philosophie fait vivre... quand on a tout le reste. Dans ce cas, on pourrait s'en passer... et c'est généralement ce que l'on fait.

— La Vertu, c'est l'ensemble des qualités que l'on aime à voir chez les autres, sans se soucier de les avoir soi-même.

— Il y a plus de gens tempérants par crainte du mal de tête que par amour de la tempérance.

— Dans la course au succès, ce sont nos bonnes qualités qui nous handicapent le plus.

— Que d'Esaüs échangent leur droit d'aînesse pour un plat de lentilles!

— Pierre qui roule n'amasse pas de mousse, c'est vrai; mais quel merveilleux poli elle acquiert.

— Certains bonheurs comme certaines renommées sont surfaits.

— L'honneur se conquiert, les honneurs s'acquièrent. C'est pour cela que tant de gens sans bonheur sont comblés d'honneurs.

— Qui sait si l'expérience ne tue pas l'initiative?

— Certains recueils de poésies sont des jardins en fleurs, d'autres ne sont que des herbiers.

— De nos jours on est pratique: on ne meurt plus pour une cause, mais on fait diablement son possible pour en vivre.

— Ce qu'on appelle le dévouement n'est trop souvent qu'un acte intéressé dont on ne s'avoue pas le motif.

— La vie? Travailler pour gagner un morceau de pain afin d'avoir la force, demain, de travailler pour en gagner un autre...

— Certains hommes ont le sort de l'escalier. On les regarde avant de monter, puis, une fois qu'on s'en est servi pour arriver au sommet, on leur tourne le dos.

— Commencer par mettre les bœufs devant la charrue n'est pas si condamnable, si cela doit donner aux bœufs la chance de connaître le poids de la charrue qu'ils auront ensuite à tirer.

— La vie est un bal masqué d'où l'on voudrait bien fuir avant l'heure où il faut lever son masque.

— La plus grande illusion: croire que nous n'en avons plus.

— Au temps où la foi était aveugle et l'enthousiasme, fou, il s'accomplissait de grandes choses. Aujourd'hui, hélas! la foi est... éclairée et l'enthousiasme est... raisonné!

— Ah! si seulement le bien que nous faisons nous apportait autant de bonheur que nos bêtises nous causent de déboires!

— Enfant, on envie les riches; jeune homme, on vient à les mépriser; puis, quand on devient plus vieux, on se prend à les plaindre.

— Quand on réussit, on s'accorde tout le mérite; quand on échoue, on blâme les autres ou le sort.

— Il y a des veuves qui ne se remarient pas, de peur de ne pas retrouver un mari semblable au premier; d'autres, de peur d'en retrouver un.

— Du choc des idées jaillissent les... coups de poing.

— On dit que la profession médicale est encombrée; pourtant les cimetières sont remplis de gens qui n'ont pu se faire soigner.

— Samson, paraît-il, tuait ses ennemis avec une mâchoire d'âne. Beaucoup de nos orateurs politiques se contente d'endormir leurs auditoires avec une mâchoire semblable.

— La dépression finira vraiment quand il y aura plus de consciences nettes et plus de mains sales.

— Si la guerre pouvait devenir aussi difficile à faire que la paix!

— Ne jugez pas un homme au parapluie qu'il porte; ce n'est probablement pas le sien.

— Bien faire et laisser dire est beaucoup plus difficile que bien dire et laisser faire.

— Sa majesté l'Amour et sa majesté l'Argent doivent ployer le genou devant sa majesté le Souci.

— Chez certains jeunes écrivains le principal défaut est qu'il n'y a pas eu assez de RATURES dans leur littérature.

— Trop de gens gagnent leur vie à la sueur du front des autres.

— Un diplomate est celui qui règle des difficultés qui n'existeraient pas s'il n'y avait pas de diplomates.

— Ah! le bon temps où les mères élevaient leurs enfants au lieu d'élever... la voix sur les «hustings»!

— Pourquoi prétendons-nous consoler les autres avec des mots qui ne nous consoleraient pas si nous étions à leur place?

25 septembre 1938

Propos décousus

«Propos décousus», vous trouvez que c'est un titre assez étrange, n'est-ce pas! Je ne vous blâme pas, mes bons amis. Mais, qui vous dit que je ne veux pas vous habituer à ce genre de propos en vue de la prochaine campagne électorale qui, nous assure-t-on, va commencer bientôt. Oh! rassurez-vous, je n'entends pas vous parler de politique! Oh! non, mes propos ne seront pas d'un aussi désespérant décousu, je vous le jure bien. Pourquoi, me direz-vous, avez-vous l'intention de donner pareil titre à votre jasette! Voici, je vais vous expliquer la situation; je suis sûr que vous me comprendrez et me pardonnerez.

D'abord, par la belle matinée de fin d'août que nous avons en ce moment, j'ai eu la malencontreuse idée de venir m'installer sur le balcon pour vous écrire au lieu de rester enfermé dans les profondeurs ténébreuses de mon étude. Oui, je n'ai pu résister à la tentation de venir écrire dehors, ce matin; il fait décidément trop beau. Je suis donc sorti sur mon balcon, tantôt, simplement pour jeter un coup d'œil avant d'entrer me mettre au travail. Mon balcon, c'est un humble balcon de premier étage qui domine ma petite rue; un humble balcon en fer «ornement» comme il y en a des centaines de mille autres en ville, c'est vrai!

Mais, il est encadré entre des arbres magnifiques, ormes et érables, et ce matin, l'air tiède de cette fin d'été fait chantonner les feuilles. Et puis, à gauche, à quelques cents pieds, entre les déchirures du feuillage, j'entrevois un coin de fleuve qui miroite sous le grand soleil. Le vent fait frissonner l'eau comme si c'était une longue écharpe pailletée d'argent. (Vlan! me voici romanesque!)

Comme vous le pensez bien, les arbres, leur feuillage, leur chanson, le fleuve et ses vagues, le soleil et son miroitement m'attirent. Je les entends qui me disent tout bas: «Reste à nous admirer et oublie tout le reste, va!» Et tout au fond de moi-même, une autre voix me murmure: «Rentre, imbécile! Tu sais fort bien que tu ne travailleras pas, que tu vas écrire des choses idiotes. Rentre, imbécile!»...

Puis, je pense tout bas: «Hein? je vais écrire des choses idiotes si je reste ici? Hélas! suis-je bien sûr d'en écrire de plus intelligentes dans mon cabinet de travail?»...

«Reste, reste avec nous», continue de me crier toute la nature. «Rentre, rentre, imbécile!» s'obstine à me crier la voix du... bon sens...

Et voici, je suis entré. Mais, la chanson des arbres, la lumière blonde du soleil m'ont suivi jusqu'à mon pupitre; j'ai pris quelques feuilles de papier et mon clavigraphe et j'ai voulu sortir. Alors, de tous côtés dans mon cabinet de travail, j'ai entendu comme des murmures. De tous les rayons de ma bibliothèque venaient des «Reste, reste avec nous».

Au-dessus de mon pupitre, Dante, Victor Hugo et... Émile Nelligan me regardaient d'un air empesé. De chaque statuette et de chaque cadre me venait un sourire. Mark Twain et Will Rogers étaient narquois; Alfred DesRochers riait dans sa barbe; Jovette, le bout de sa plume entre les dents, avait l'air de me blaguer; Robert Choquette me visait avec de grands yeux noirs, ayant l'air de se demander sous quel nom fictif il m'étudierait dans sa pension Velder... Bref, jusqu'à la *Joconde* qui me regardait d'un air énigmatique, du haut de ma bibliothèque, la moue aux lèvres et les bras presque croisés!...

Et pourtant, j'ai pris mon clavigraphe et mes paperasses et me voici sur mon balcon! Il va falloir maintenant réfléchir, me concentrer et essayer d'écrire! Réfléchir? se concentrer? essayer d'écrire? Eh bien! venez essayer, si vous en êtes capable! Oui! venez essayer pendant que des oiseaux turlutent leur joie de vivre à côté de vous dans les branches; pendant que dans la cour du couvent d'en face un coq à la crête rougeoyante se promène en prenant des poses comme s'il était Hitler, Mussolini ou un président de société patriotique. Et puis, essayez de vous mettre l'idée à quelque chose de fixe en regardant le fleuve!

Tiens, mais je n'avais pas remarqué cela tout de suite! Entre les déchirures du feuillage, là, un peu plus à gauche, il y a une drague sur le fleuve! Eh oui! c'est bien cela, une drague avec, tout à côté, sa barge et son remorqueur. Voici qu'elle se met à fonctionner. Une énorme pelle mécanique vient de plonger au fond de l'eau. Puis, la voici qui remonte, tandis que les moteurs grincent. Elle remonte, elle se retourne vers la barge, et son énorme mâchoire aux gigantesques dents s'entr'ouvre et laisse tomber un amas de boue dans la barge. Cette gigantesque gueule, cette mâchoire puissante et carrée, cette boue baveuse qui dégouline entre des dents formidables, à quoi cela me fait-il penser? Voyons, il me semble que cela me rappelle certaines photos que j'ai vues maintes et maintes fois dans les journaux. Ah, bon! je l'ai! La grosse pelle mécanique me rappelle la «poire» de Mussolini faisant un grand discours. C'est cela, oui! tout à fait cela!...

Je voudrais maintenant réfléchir, me concentrer, m'efforcer d'écrire quelque chose. Malgré moi, je regarde toujours la gueule formidable de la pelle mécanique; malgré moi, je l'entends geindre, et voici que tout ce merveilleux matin m'est gâté et que je ne puis plus rien écrire.

27 août 1939

L'art de faire un sketch

Vous le croirez si vous voulez, mais c'est comme ça: quelqu'un m'a écrit pour me demander de lui enseigner l'art d'écrire un sketch pour la radio! On me demande cela sous prétexte que j'ai déjà écrit des «machines» en série pour la radio. C'est comme si, du fait que j'en ai écrit, je savais comment m'y prendre!

D'abord, mes bons amis, il faudrait s'entendre sur la question! Il est question, ici, de l'art d'écrire un sketch. D'abord, écrire un sketch est-il un art? Oui, si vous considérez que planter des choux ou même planter des clous peut être un art. Ensuite, si vous tenez absolument à ce que ce soit un art, méfiez-vous! Vous devez bien savoir que tout ce qui est de l'art en cette terre de nos aïeux qui a un bras qui sait porter l'épée, celui que se mêle de faire de l'art fait vœu de pauvreté et pose sa candidature comme bénéficiaire de l'Œuvre de la Soupe! Évidemment, si vous avez d'autres moyens de subsistance, — des parents riches, par exemple, ou une rente, — eh! bien que cela ne vous inquiète pas: faites de l'art. Seulement, en pareil cas, ne me demandez pas de vous enseigner à faire des sketches de radio, vu que j'ignore cet art tout à fait!... si tant il est vrai qu'il en existe un!

Du reste, voulez-vous que je vous dise tout de suite une chose qui va vous faire de la peine, peut-être, et qui va vous enlever des illusions? Par le fait même que vous ne trouvez pas vous-même ce prétendu art de faire des sketches ou d'écrire ou de parler pour le public, cela prouve que vous ne le posséderez jamais!

Voyez-vous, celui qui écrit, — l'écrivain, si vous tenez absolument à l'affubler de ce titre, — n'écrit jamais pour le public. La chose vous paraîtra étrange, n'est-ce pas? L'écrivain écrit toujours pour lui-même d'abord, et pour le public ensuite par ricochet. Si vous n'avez rien à vous dire ou à vous écrire, je vous défie d'essayer de parler ou d'écrire d'une façon même passable. Et c'est précisément à l'instant où l'écrivain se fiche dans la tête qu'il va écrire pour le public qu'il se met en état de ne pas écrire du tout. C'est l'abbé Dimnet, je crois, qui nous fait remarquer comme nous ne savons plus écrire, chaque fois que nous voulons nous adresser à un personnage et tourner une belle lettre de circonstance. Par ailleurs, si vous voulez écrire à un ami ou noter quelque chose pour vous-même, c'est étonnant comme la chose est facile et comme les mots coulent d'eux-mêmes. C'est que vous ne vous forcez pas pour faire belle figure; vous ne songez pas à écrire pour le public!

Tenez, je connais une charmante personne qui a de l'intelligence jusqu'au bout de ses ongles rouges. Pourtant, c'est la plus ennuyeuse épistolière que je connaisse. Savez-vous pourquoi? Parce que chaque phrase qu'elle écrit est pesée, mesurée au cordeau, léchée et pourléchée. Voyez-vous, cette dame, tout en écrivant à un simple particulier, songe que dans vingt, trente ou cinquante ans, sa correspondance passera à la postérité et sera lue. Alors, vous comprenez, elle se fait une belle figure pour avoir la renommée d'une madame de Sévigné après sa mort!

... Mais, vous m'aviez demandé, gentille lectrice, comment écrire un sketch! Je ne sais pas si c'est bien la façon, mais voici comment je m'y prenais aux jours lointains où j'écrivais. D'abord, je me cherchais un sujet, comme dirait La Palice. Ensuite, je me choisissais des personnages, puis un lieu où se passerait l'action. Pour ne pas écrire de bêtises trop monumentales et ne pas finir d'encombrer un marché déjà rempli, j'évitais de parler de choses que j'ignorais. N'étant jamais allé en Europe ni en guerre, je n'ai jamais écrit sur l'Europe et n'ai jamais fait de sketch de guerre. J'espère que cela me sera crédité au jour du jugement dernier!...

Une fois le sujet, les personnages et le lieu trouvés, celui qui veut écrire un sketch ne doit pas se mettre à chercher des phrases ronflantes, des périodes de conférence comme certains sketches «savonneux» du matin en sont débordants. Non! si vos personnages sont des êtres vivants, ils parleront comme tout le monde, sans périodes graduées ni points et virgules savamment distribués. Le plus éloquent conférencier parle comme tout le monde dans le train-train de la vie, et même aux heures les plus angoissantes de sa vie, il ne déclame pas; laissons cela à Sacha Guitry, le plus burbant des théâtreux.

Non! si vos personnages sont réellement vivants à votre imagination, vous n'aurez qu'à fermer les yeux et à les laisser parler eux-mêmes, à les écouter et à écrire leurs paroles aussi vite que vos doigts peuvent courir sur une dactylo. Mais, je le répète, il faut que vous les voyiez bien avec leurs attitudes propres, leurs coutumes, leurs poses les plus naturelles. En un mot, il faut que vous soyez tellement hypnotisé par votre sujet que vous perdiez conscience de tout ce qui vous entoure, même de la dactylo sur laquelle vous bûchez, même de la page blanche qui se noircit à mesure que vous copiez ce que vos gens disent sans s'occuper de vous. Et voilà!

Si vos personnages ont été trop bavards, vous tâcherez de vous en apercevoir en vous lisant, et ce sera le temps d'abréger et de serrer votre texte dans ce corset arbitraire qui s'appelle les treize minutes d'un sketch d'un quart d'heure!... Et voilà! «L'art» d'écrire des sketches ou un roman ou quoi que ce soit, sauf des recettes de cuisine, c'est cela!

Je regrette de vous désenchanter, si vous croyiez que c'était plus merveilleux que cela. C'est un peu comme pour les tours de passe-passe des magiciens; on est déçu dès qu'on sait comme tout cela est facile à faire!

10 janvier 1943

Causons… sans plus de façon

Depuis que j'ai le plaisir de venir faire, chaque semaine, un bout de jasette dans ces colonnes, j'ai reçu quantité de lettres de mes patients ou impatients lecteurs, je crois l'avoir déjà dit. C'est bien du moins qu'une fois de temps à autre, je remercie en bloc mes correspondants, puisqu'il m'est malheureusement impossible de répondre individuellement à chacun. Je vous avoue que la chose me serait un réel plaisir d'entrer en correspondance suivie non seulement avec ceux qui ont l'indulgence de m'approuver, mais aussi avec ceux qui me contredisent ou s'étonnent de ma façon de penser ou de dire.

En effet, il arrive presque toutes les semaines que je reçoive, par exemple, une lettre qui m'approuve et une autre qui me désapprouve de la même phrase ou de la même attitude. Justement, aujourd'hui quelqu'un me félicite d'être cynique, tandis qu'un autre me dit en termes assez clairs: «Vous qui avez été, il me semble, si longtemps un romantique, pourquoi êtes-vous devenu si affreusement cynique?» Vous voyez cela d'ici? Allez donc répondre aux deux à la fois.

Il me faut bien avouer que si je fus romantique, il y a belle heurette ou belle lurette, comme vous voudrez, que cela m'est arrivé. Du reste, je ferai remarquer qu'un cynique, au fond, n'est qu'un romantique désabusé.

Attention! je dis désabusé et non blasé. Le blasé, voyez-vous, est celui dont les sensations ou les réflexes en face d'une chose sont émoussés ou à jamais endormis, pour ne pas dire morts. Le désabusé, lui, n'est qu'un désillusionné et en même temps un révolté. Il a cessé de se faire emberlificoter par des apparences, des belles phrases, des faux sentiments ou des faux ors; il a appris, et cela à ses dépens, que tout ce qui brille n'est pas or et que les phrases les plus ronflantes et les plus désintéressées ne sont la plupart du temps que des attrape-nigauds. En somme, le désabusé a chèrement payé pour apprendre. La même expérience a pu arriver au blasé aussi. Mais, ce dernier a trouvé meilleur de ne plus s'émouvoir, de ne plus s'étonner de rien et de ne plus réagir; ses ressorts sont cassés, quoi! Le cynique, lui, se révolte. Il refuse de se laisser berner, il est vrai, mais il refuse aussi de s'endormir ou de fermer son âme et ses yeux à tout ce qui l'entoure. Seulement, sa revanche est de juger froidement, à la juste valeur et sans partialité les hommes et les choses et à ne pas se laisser éblouir par les faux-semblants. Sa revanche est de dire carrément ce qu'il pense, sans même se soucier de l'approbation ou de la désapprobation même universelle. Quand on a été diplômé de l'université des coups de pieds, autrement dit, de l'école de l'expérience, on devient cynique. Je remercie ceux qui m'approuvent d'être cynique... quant à ceux qui me désapprouvent, je regrette d'avoir à leur dire que cela m'indiffère. Si cela pouvait m'émouvoir, ce serait preuve que je ne suis pas cynique et ceux qui m'accusent de l'être auraient tort.

D'aucuns me diront que le cynisme tue l'enthousiasme. Oui? et puis après, quel grand mal y a-t-il à cela? Je serais prêt à soutenir que l'enthousiasme, le plus beau soit-il, n'est bon qu'à entreprendre une chose. C'est une étincelle qui met le feu aux poudres, rien de plus. Tenez, quand vous voulez mettre le moteur d'une auto en marche, vous pressez le bouton du démarreur; l'étincelle jaillit et tout s'ébranle, il est vrai. Mais vous savez bien que si vous ne comptiez que sur l'étincelle du démarreur et sur le démarreur lui-même vous n'iriez pas loin. Il faut, n'est-ce pas? qu'ensuite, vous vous en remettiez au moteur pour continuer à avancer. Et, en plus, vous savez qu'il faut que vous ne laissiez pas le moteur s'emballer, hein? Ne comptons donc pas uniquement sur l'étincelle de l'enthousiasme; laissons ensuite le moteur faire cyniquement sa besogne. Si vous lui fournissez de la véritable gazoline, de l'essence comme disent les amateurs de charabia, votre moteur ira loin; mais n'essayez pas de le faire fonctionner à l'eau de rose ou de cologne; rappelez-vous que c'est un cynique qui ne prend les choses que pour ce qu'elles sont et non pour ce qu'on veut les lui faire prendre!...

Un autre correspondant me reproche de dire des choses que d'autres ne disent pas ou ne pensent pas. Eh! bien, voilà ce que je considérerais comme le plus beau compliment à me faire, si je pouvais croire que c'est bien vrai. Du reste, quel plaisir y a-t-il à ne faire que répéter ce que tout le monde dit, à ne penser que ce que tout le monde pense! On dit que les idées dirigent le monde. Elles sont, en effet, comme ces plaques indicatrices qu'on trouve au coin des rues ou à la rencontre des carrefours; elles nous indiquent la voie à suivre. Mais que diriez-vous de celui qui passerait son temps à apposer au coin des rues des plaques qui ne seraient que la répétition de celles qui y sont déjà et qui suffisent amplement à donner les indications voulues, tandis que plus loin, il y a tant d'autres carrefours, tant de coins de rues où les gens s'engagent à l'aveuglette, parce que personne n'est allé avant eux apposer la plaque indicatrice!

Mes bons amis, on a beau être cynique, être humoriste et humble barbouilleur de papier, il n'y a rien au monde qu'on ne rêve ardemment, — même si l'on sait que ce rêve est irréalisable, — rien au monde, dis-je, qu'on ne rêve plus ardemment que d'être un jour, une fois dans sa vie, celui qui sera allé à un carrefour de la vie et de la vérité poser la première plaque indicatrice.

Je remercie donc encore tous mes correspondants et ils peuvent se croire assurés que chacune de leurs lettres est pour moi un plaisir et une source de réflexions profondes et très souvent une source... pour mes chroniques à venir!

7 mars 1943

Histoires du Canada

Je ne sais pas si vous êtes comme moi, mais je suis enchanté d'apprendre qu'on va décider de récrire l'histoire du Canada pour qu'elle soit intéressante pour tous les écoliers du pays d'un bout à l'autre.

Nous ne manquons pas de tomes d'histoire assez détaillée, et nous pourrions citer en passant «l'Histoire du Canada pour tous», de Jean Bruchési et les pages magnifiques de l'abbé Groulx et de l'abbé Tessier. Mais, ce sont les manuels de nos écoliers qui sont pitoyables, pour la plupart. Rien d'étonnant à ce que des générations de Canadiens français soient si ignorants de notre histoire et ne s'en soucient guère!

Vous prenez certains de ces manuels et vous essayez de les lire. Vous croyiez pouvoir suivre un récit ayant une suite logique et un intérêt quelconque et vous en êtes pour vos frais. En parcourant ces manuels, vous avez l'impression de vous promener dans un cimetière et d'en lire les épitaphes. Eh oui! tout ce que vous y lisez, en effet, c'est que le gouverneur Machinchouette ou l'intendant Chose est né le quantième de tel mois de telle année et qu'il est mort tel autre quantième de tel autre mois de telle autre année.

Et puis cette nomenclature de dates de naissance et de sépulture est hachurée de questions qui ne font à peu près rien ressortir du caractère de Machinchouette ou de

Chose et qui n'offrent à peu près jamais aucun intérêt. Pas étonnant que les écoliers se rebiffent et n'apprennent ces nomenclatures de cimetière autrement qu'à leur corps défendant et parce qu'il le faut, pour ne pas bloquer les examens et passer le «bac». Pas étonnant non plus qu'au bout de six mois, on ne sache plus rien de l'histoire du pays.

Ne vous semble-t-il pas que dans la vie d'un homme, même s'il a le triste sort de se voir momifié à tout jamais dans un manuel d'histoire, ce qu'il y a de plus intéressant n'est pas de savoir à quelle heure précise il est né ou à quelle date il est mort?

Si je ne me trompe pas, c'est ce que ce bonhomme a fait entre ces deux dates qui peut être intéressant et qui peut avoir influé sur les destinées du pays. Quand on se risque à en parler dans nos manuels, on oublie de nous dire pourquoi Machinchouette ou Chose a fait telle action; pour quelle raison il avait, par exemple, «quitté la France pour courir sa chance», selon les rimettes immortelles d'un ancien élève de Nicolet. Quand je demande pourquoi on ne donne pas la raison, j'entends la véritable raison. On a la maladie de vouloir que tous les aventuriers qui sont venus ici et qui, par leurs travaux, leur audace, leur ingéniosité et leur courage, ont fondé le pays, n'avaient d'autre pensée que d'être des grands hommes aux yeux de l'histoire future du pays qu'ils fondaient… peut-être sans s'en rendre compte… et probablement sans s'en préoccuper plus que cela. On se complaît à faire des fondateurs et des premiers colons du pays une bande de visionnaires qui, dans leurs songes, voyaient déjà le pays tel qu'il est aujourd'hui avec ses chemins de fer (et cela en 1642 ou en 1759!), avec toutes ses villes et ses villages qui courent tout le long du pays.

Il est évident que même un petit gars de douze ans un tant soit peu intelligent n'est pas prêt à avaler cela tout cru. Inconsciemment, il classe les faits de l'histoire du Canada avec les faits et gestes du Petit Poucet, du Chat botté et même de Charlemagne à la barbe fleurie et de Roland, le «boulé».

Oui! je crois que ce ne serait pas un si grand mal d'humaniser nos héros du temps passé et d'en faire «du monde» avec lequel il y avait moyen de vivre et de respirer sans planer dans les sphères éthérées. Nos héros seraient peut-être moins éblouissants; par contre, nos petits gars, au lieu de les admirer d'abord bouche bée puis de se raviser et d'y pas croire, trouveraient que ce serait beau d'essayer de les imiter. Ils comprendraient ce que la lutte âpre et sans merci pour un but louable et beau peut avoir de grand et même d'intéressant. Ils comprendraient que les vrais fondateurs du pays ne sont pas les personnages de carton, ou dorés sur tranches, de notre histoire romancée à certain moment et tronquée à certain autre; ils comprendraient que les vrais bâtisseurs du pays furent les colons, les trappeurs, les «voyageurs», leurs fils et ceux qui héritèrent de leur courage, de leur grand cœur simple et même de leur rudesse et de leurs défauts!

Pour comparer les petites choses aux grandes, laissez moi vous dire que j'ai vu «ouvrir» des paroisses et des villes industrielles dans notre propre province. Eh bien, les vrais «ouvreurs», ce ne furent jamais les avocats, ni les sociologues, ni les économistes, ni personne de notre «élite intellectuelle». Ce furent des gars qui avaient bon cœur et bon bras; des gars qui avaient foi en leur Dieu et en la vertu du devoir et du travail courageusement acceptés.

Dans notre grande histoire, ce fut la même chose. Ce ne furent pas les marquis, les vicomtes, les comtes ou les barons, ni les intendants, ni les gouverneurs qui firent de notre pays ce qu'il est aujourd'hui. Non! ce furent tous ces personnages obscurs dont on ne parle jamais et qui n'étaient que des colons et des défricheurs. Pour les fabricants de manuels d'histoire, colons et défricheurs ne sont pas des personnages assez reluisants et assez polis; on se garde bien d'en parler... et c'est regrettable. Il me semble que le jour où nos petits gars de campagne apprendront que le Canada fut bâti par des gens qui ressemblaient à leur père, qui trimaient dur d'une étoile à l'autre, sans rêver de monument futur sur les places publiques ou de mention dans l'histoire, eh bien! ils apprendront à l'aimer ce merveilleux pays qu'ils se sentiront capables de continuer à bâtir, comme leur père, leur grand-père et toute la lignée qui les a précédés.

... Comme de raison, je dis tout cela en pure perte! On va se dire: «Le voilà encore qui parle pour parler!»

11 juin 1944

Rêveries

(1940-1941—1947-1948)

À travers le Vieux-Québec

Bonsoir mesdames, bonsoir mesdemoiselles... Bonsoir les gars!

À soir, mes bons amis, c'est le long des quais que je suis venu me promener, malgré que je trouve ça pas ben ben chaud après les journées d'été qu'on a eues, je sais pas trop par quel hasard, la semaine dernière et la semaine d'avant. Vous comprenez qu'à ce temps-ici, c'est encore ben tranquille dans le port, mais ça empêche pas de voir quelques petites goélettes ici et là qui viennent d'arriver avec leur cargaison de bois. Je les vois qui dansent sur leurs amarres dans la demi-noirceur; je vois une petite lumière qui brille ici et là dans les petites fenêtres de leurs cabines; j'entends l'eau qui clapote, une eau pesante et noirâtre encore toute froide des dernières glaces qui descendent en blocs blancs au milieu du courant... Tiens! je viens d'entendre comme une plainte longue et triste et un bouillonnement d'eau. Ah! c'est une petite goélette qui tourne et qui commence à descendre le fleuve... Je sais pas si vous êtes comme moi, mais j'ai jamais pu voir partir un bateau sans avoir le goût de faire pareil, de m'en aller moi aussi, de laisser toutes les amarres, de m'éloigner du port, du tapage, des lumières et de prendre le large... même sans savoir où je m'en vais. Oui! surtout sans savoir où je m'en vais. Vous pensez pas, mes bons amis, que partir avec des cartes géographiques plein ses poches, avec un programme tout tracé comme un touriste, ça ôte une bonne partie du charme d'un voyage? Ah! on sait ben, il y en a qui vont me dire que ça n'a pas d'allure, qu'on doit pas partir comme ça sans savoir où on sera le lendemain! Eh ben! chacun son goût, moi je trouve qu'un voyage çà devrait ressembler à la vie, ce long voyage qu'il faut tous faire sans savoir à quoi ça mène, sans savoir où et quand ça va finir. On a beau se faire des plans, se dresser des cartes, s'imaginer qu'on suit un programme qu'on s'est fait d'avance, se proposer d'arrêter ici ou là. Dans le fond, tout ça c'est des illusions! On s'en va, va comme je te pousse; on n'est pas capitaine de notre bateau, et c'est pour ça que, ben des fois, juste comme on s'imagine qu'on cingle vers une île de rêve, on s'enlise dans la boue du réel ou ben on frappe un des récifs de la désillusion. Hein? c'est pas vrai ça? Même si me voilà qui parle avec des grands mots comme un avocat qui s'exerce à aller plaider!... Toujours est-il que la petite goélette que je regardais sortir du port est partie; je vois plus rien qu'une petite ombre grise qui danse sur le noir du fleuve... et la petite lumière de sa vigie a l'air de me faire signe et de m'appeler: «Viens donc, viens donc!» Et voilà que j'oublie que je suis là, planté sur le quai avec mes talons éculés qui renfoncent dans le pavage, et ma pipe entre les dents..., et je pars. Puis, sans m'en apercevoir me voilà qui me mets à descendre le long du fleuve, au fil de l'eau en longeant les villages endormis sous les arbres qui commencent à bourgeonner!... Ah! tous ces petits villages qui dorment en paix loin du tapage, des simagrées et des chinoiseries de la grande ville, loin du luxe faux et de la misère vraie, loin de tout ce qui fait que la vie qui devrait être si belle en est rendue à nous donner, des fois, des haut-le-cœur!... Mais quand on file comme ça au gré de ses rêves, ça va plus vite que les plus gros bateaux et que les plus jolies goélettes grises, allez! Tenez! j'ai déjà dépassé Sorel avec ses grands élévateurs, ses usines de munitions et ses chantiers maritimes; Trois-Rivières et ses gros moulins à papier et toutes ses jolies rues où il faudra que j'arrête rêver quelque bon soir! Et puis, tout le long du fleuve, chaque vieux nom évoque un souvenir du passé, chaque vieux nom nous rappelle un joli village blotti contre sa petite église aux clochers pointus qui brilleraient sous la lune si le temps était pas si couvert: Champlain, Batiscan, Portneuf, Deschambault, le Cap Santé, Donaconna, Les Écureuils, Neuville! De l'autre côté, c'étaient Sainte-Angèle, Gentilly, Saint-Pierre-les-Becquets, Saint-Jean-Deschaillons, Lotbinière, Saint-Antoine-de-Tilly!... Il me semble que tous ces noms-là chantent dans la brume du soir sur l'air de toutes les vieilles chansons du vieux temps qui nous ont bercés quand on était tout petits et qui nous bercent encore quand le souvenir nous fait retrouver notre cœur d'enfant!... Et puis, voilà que j'arrive bien avant la petite goélette grise en face du Vieux-Québec. Québec! Comme on se sent tout petit au pied du cap d'où montent vers le ciel toutes ces maisons, tous ces édifices, toutes ces tours et tous ces clochers! Québec!... Et voilà que mes vieux souvenirs me reviennent, les souvenirs de mon jeune temps, quand j'allais faire mon tour à Québec au temps où je quêtais ma vie de paroisse en paroisse. Ah! dans ce temps-là, mes vieux, il y en avait toujours du bon monde dans la rue Cartier, la rue Sainte-Famille ou ben la rue Claire-Fontaine pour me donner une bonne pointe de tourtière et un bon lit quand j'arrêtais là!

La rue Claire-Fontaine, avez-vous entendu ça!...C'est comme une vraie musique, un nom de même, les gars? Québec, mes vieux, oubliez pas, c'est pas une affaire de rien, c'est la capitale de notre province, c'est la ville où nos quatre-vingt-dix députés se font mourir à préparer nos lois! Oubliez pas ça! Mais, blague à part, Québec, c'est avant tout une ville historique, la plus vieille, la plus pittoresque, autant dire la plus belle ville de notre province! Choquez-vous pas, les gars de Montréal! Qu'est-ce que vous voulez, faut ben que je dise la vérité, hein? Ma vérité, en tout cas, vu que dans ce monde ici, arrangez-vous comme vous voudrez, on a ben sa vérité à soi, hein?... Ah! je dis pas que Montréal, c'est pas beau aussi, mais c'est un autre genre. On s'en reparlera un autre jour, si vous voulez!...

Voyez-vous, mes vieux, on peut pas faire autrement que sentir quelque chose qui nous envoûte, qui nous ensorcelle, qui nous entortille le cœur, aussitôt qu'on met le pied à Québec, et surtout aussitôt qu'on se met les pieds l'un devant l'autre et qu'on se met à visiter! Mais quand je dis visiter, je dis visiter! je dis pas traverser Québec en auto en suivant les petits chars sur la rue Saint-Jean à quatre milles à l'heure ou ben en passant à quarante milles à l'heure sur la Grande-Allée. Visiter, mes vieux, ça se fait pas de même; mais il y en a ben qui essayent de faire ça et qui se font croire qu'ils ont vu Québec, comme ça, en criant: Ciseau! D'abord, mes vieux, parlez-moi de visiter une ville en auto; c'est le meilleur moyen de rien voir! Vous voyez, c'est pour ça que, moi, j'en ai pas d'auto! Non! mes vieux, si vous voulez voir Québec, débarquez de votre auto, débarquez de sur vos grands chevaux, puis promenez-vous à travers les rues. Promenez-vous, surtout le soir, quand les lumières tamisées des rues vous cachent un peu les laideurs que la vie moderne a malheureusement déjà trop répandues dans la bonne vieille ville! Je le dis sans crainte, parce que je sais ben que s'il y a des Québécois qui m'écoutent, ils sont les premiers à se plaindre du massacre de leurs belles vieilles maisons qu'on remplace par ces horribles boîtes à appartements comme on en est infesté à Montréal. Dire que les gars qui vous empilent des boîtes comme ça les unes par-dessus les autres pour faire des appartements, des collèges ou des églises ont le front de s'appeler des architectes!... Oui, mes vieux, c'est le soir, à la lueur violette des lampes, à la lueur de nos vieux souvenirs qu'il faut errer à pied dans les vieilles rues de Québec. Tenez, vous prenez, par exemple, les rues en partant du quai de la traverse de Lévis. Vous êtes pas loin de la rue Sous-le-Fort, de la petite église Notre-Dame des Victoires, du monument de Louis XIV sur la petite Place Royale... puis vous gagnez la côte de la Montagne qui monte en serpentant jusqu'au bureau de poste, vous rencontrez le monument de sir Georges-Étienne Cartier. Puis, rendu en haut, vous tournez à droite et vous rejoignez la vieille rue des Remparts. De là, vous dominez déjà le fleuve, vous voyez au loin l'île d'Orléans, l'Île des sorciers comme on disait autrefois. J'en connais un lot de ces sorciers-là, et je vous assure que c'est tous des bons diables, allez! Le long de la rue des Remparts qui serpente au-dessus du Sault-au-Matelot et de la rue Sous-le-Cap, vous voyez tous les vieux canons habillés de rouille qui rêvent d'un temps passé. Ils sont là, comme de vieux chiens de garde, le museau pointé au vent à regarder entre les créneaux ou par-dessus les parapets le grand fleuve où tant de fois ceux qui ont fondé, défriché, bâti Québec et notre grand pays regardaient, eux autres aussi, la main au-dessus des yeux et les sourcils froncés pour mieux voir si, à la fin, ils apercevraient pas les grands voiliers partis de France pour leur apporter des nouvelles, des secours et de l'espoir. Oui! je sais pas ce que ça vous fait de les voir là, ces vieux canons mangés de rouille, couchés là comme des vieux chiens qui veulent mourir à la place où leurs maîtres sont tombés, un jour, épuisés de labeur et de gloire insoupçonnés. Sans que vous vous en doutiez, l'envoûtement se produit; il vous semble entendre chuchoter des voix autour de vous; des voix qui sont celles de Champlain, de Louis Hébert, de Couillard, de Mgr Laval, de Frontenac, de Montcalm et de tant d'autres, de tant d'autres dont l'histoire ne nous a pas laissé les noms et qui sont partis, inconnus comme ils l'étaient quand ils sont venus, mais qui ont laissé dans Québec et dans notre pays les traces de leur passage, de leur courage, de leur travail et de leur foi. Des fois, il me semble qu'on devrait élever quelque part un monument au Colon Inconnu. C'est là qu'on viendrait s'agenouiller, chapeau bas, au souvenir de tous ceux du grand passé...

Oui! c'est vrai, c'est aux pauvres diables d'inconnus que je pense plutôt qu'aux noms que l'histoire et les histoires ont rendus glorieux! Oui, en regardant Québec du haut des remparts où l'on entend moins les cris, où on voit moins les lumières criardes de la terrasse Dufferin, en regardant le grand fleuve, les rives semées de villages, de campagnes piquées de clochers d'argent, je pense à tous ceux qui, sans le savoir, sans chercher à le vouloir, ont été les vrais héros du pays. Ce sont eux autres, ces illustres inconnus, qui ont bâti avec leurs bras, avec leur cœur, avec leur sang, la France nouvelle qui survit encore à l'heure où l'autre France souffre tellement qu'il faut avoir la foi ardente de nos vieux pour ne pas croire qu'elle va en mourir!...

... Tenez, le ciel est violet et clair, des étoiles s'émiettent, comme dirait mon ami Alfred DesRochers, dans l'eau du bassin Louise. Continuons à monter le long des remparts: nous longeons d'autres vieilles rues aux noms pleins de souvenirs, des vieilles maisons hautes à pignons et à lucarnes en doubles rangées, aux portes larges et monumentales, aux grandes fenêtres garnies de petites vitres que le soleil a jaunies et que la poussière des années a dépolies.

Tenez, là, c'est la maison où demeura Montcalm, à ce qu'on m'a déjà dit. On s'arrête là, et sans trop savoir comment exprimer cela, on se sent comme le cœur pris d'une immense mélancolie. Montcalm! Quels souvenirs, quelle épopée! Quel héroïsme qui n'a pas eu sa récompense! Puis, vous continuez votre ronde autour des remparts jusqu'à ce que vous arriviez le long des murs de l'Hôtel-Dieu. Tout à côté, c'est la grande côte du Palais qui vous fait descendre du côté de la basse-ville, de la rue Saint-Paul, de la rue Saint-Joseph et de la rue Saint-Valier, au cœur même de toute une population de travailleurs, d'industriels et de commerçants qui me semblent avoir encore plus conservé leur caractère français que dans certains quartiers plus à l'aise de la haute-ville, soit dit sans vouloir passer de remarques. Parce que, voyez-vous, tout Québécois qui mérite son nom est resté français, français de cœur, français de manières, français dans son langage encore émaillé de chers vieux mots, de chères vieilles expressions touchantes ou amusantes qu'on n'entend plus guère ailleurs. C'est à Québec qu'on vous offre un bol de thé, qu'on vous dit qu'un tel est niaiseux ou placotteux ou qu'un tel autre demeure amont la côte. Comme tout ça sonne ben mieux au cœur et à l'oreille que notre baragouin bourré de mots américains mal prononcés!...

Si vous avez pas trop mal dans les jambes, mes vieux, on va aller faire un autre tour dans Québec. À ce coup-ci, disons qu'on est sur la terrasse Dufferin, en face du château Frontenac. Ça, mes vieux, c'est quasiment unique au monde, cette place et la vue qu'on a de là sur le fleuve et sur toute la rive sud. C'est en plein ici que, d'après les gens qui sont pas des ignorants comme moi, Champlain a bâti le premier château Saint-Louis. Il paraît qu'en dessous du plancher de la terrasse, il reste encore des ruines de la cave de ce vieux château-là. Tout autour d'ici, il y a tellement de monuments et de vieux souvenirs qu'on se mélange à vouloir tous les voir et à parler de chacun. Puis, plus loin devant nous autres, voilà la citadelle. Plus loin, c'est le parc des champs de batailles, les plaines d'Abraham avec leurs allées magnifiques, leurs grands arbres, leurs fleurs, leurs bancs et les couples d'amoureux qui se promènent. Vous me direz peut-être que c'est drôle que ça soit sur les champs de batailles que les amoureux viennent promener leurs rêves. Est-ce que ça serait comme une préparation pour le temps où ils seront mariés?... Puis, à notre droite, tiens! c'est la Grande-Allée qui est comme qui dirait l'Outremont et le Westmount de Québec. C'est là que sont les belles maisons... et puis les bâtisses du parlement qui font pas pitié, elles non plus, je vous assure! Tenez, rien qu'à se promener dans le jardin qui entoure les édifices, on a de quoi s'occuper pour des heures à revivre toute l'histoire que les monuments nous rappellent. C'est là qu'on trouve la statue de Garneau, l'historien qui nous a appris à être fiers du passé. Puis, en face des édifices, vous voyez des fameuses statues qui vous racontent chacune une histoire: le groupe des Abénaquis, le sauvage au nigog, Jean Talon qui a fondé ben des choses à part d'une brasserie, Frontenac, un gars qui était pas commode, mais qui avait du cœur dans le ventre, Pierre Boucher et de la Vérendrye, deux gars de Trois-Rivières qui avaient pas froid aux yeux et qui ont découvert des pays grands comme l'Europe et qui ont marché quasiment à pied jusqu'aux montagnes Rocheuses; Salaberry, le gars de la bataille de Châteauguay... Et on pourrait passer, comme je vous dis, des heures et des heures à regarder tout ça et à se ressouvenir. Si je savais le tour de parler comme il faut, mes vieux, je vous dirais que toute l'histoire de notre pays est écrite en pierre et en bronze dans Québec et que la bonne vieille ville est le plus beau livre d'histoire à lire.

J'ai eu l'air d'essayer de vous conduire à travers Québec, mais le meilleur moyen de visiter, c'est encore d'errer à l'aventure, en suivant sa fantaisie et son nez. On s'en va à petits pas à travers les rues, en fumant sa pipe, en regardant à droite et à gauche, en écoutant parler son cœur, en écoutant les voix mystérieuses qui montent de chaque pavé, de chaque pierre de maison, de chaque arbre qui abrite une vieille cour de jardin, un vieux cimetière, une vieille masure moussue et grise, en lisant aux coins des rues des vieux noms qui parlent, eux autres aussi, du grand passé. Par moment, on oublie dans quel siècle on est rendu; on se demande si on n'a pas rêvé qu'on est en plein xxe siècle, si on n'a pas imaginé tout le progrès ou tout ce qu'on appelle le progrès d'aujourd'hui. Oui! on se demande si on vient pas de rêver tout ça qui existe pas encore et si, au détour de la rue, on rencontrera pas les hommes du guet avec leur morion de fer, leur pourpoint de velours rouge ou de cuir fauve, leur hallebarde et leur torche. Il nous semble à tout moment qu'on va entendre monter dans la brume violette du soir quelques voix qui vont nous chanter les vieux refrains d'autrefois: «À Saint-Malo, beau port de mer...», «Dans les prisons de Nantes...», ou bien: «Qui est-ce qui passe ici si tard, compagnon d'la marjolaine?...» Ou bien encore, ce sera la voix de quelque amoureux transi qui fredonnera: «À la claire fontaine...», ou bien: «Là-bas sur ces montagnes, j'ai entendu pleurer!...» Et c'est dans des moments comme ceux-là que vous comprenez mieux que Québec, c'est la vieille ville des souvenirs, le reliquaire, le coffret où tout un peuple conserve religieusement tout ce qui rappelle un passé d'héroïsme et de gloire.

Quand on erre en rêvant le long des rues tortueuses et mal éclairées, on se sent comme pris, comme engourdi, comme bercé par tous les vieux souvenirs. On regarde toutes ces vieilles maisons, ces vieilles portes, ces jardins, ces monuments, ces vieux remparts, et je sais pas trop comment vous dire ça, mais on dirait que ça nous parle au cœur! On dirait que, dans l'ombre du soir, tous les anciens reviennent à la vie et viennent reprendre leurs besognes d'autrefois. Je sais pas, mais errer dans le Vieux-Québec comme ça, à la nuit tombante, c'est comme si l'on revenait visiter, après bien des années d'absence, la vieille maison paternelle où chaque chose nous parle du passé, nous parle de quelqu'un qui nous est cher et qu'on a bien aimé. Ah! j'espère que vous me comprenez, mes vieux, quand même que ce serait rien qu'un petit peu; je voudrais tant vous dire ce que je ne sais pas vous dire!...

En tout cas, le Vieux-Québec est resté une bonne vieille ville française et ça fait plaisir de voir partout des noms de rues et des enseignes de magasins qui sonnent le beau et le vieux français. Puis c'est à souhaiter qu'avec ce qu'on a le front d'appeler le progrès, on verra pas de sitôt disparaître tout ce qui fait l'âme de Québec, comme on est en train de finir de massacrer Montréal avec toutes ces odieuses enseignes électriques au-dessus des maisons. C'est ben triste à dire et à avouer, mais ici, à Montréal, il va nous falloir plus que des fêtes du troisième centenaire pour nous redonner un air de ville française, un air d'une ville qui ne serait pas aux trois quarts composée rien que de grosses maisons informes et mal bâties... Nous en avons encore quelques belles maisons françaises comme à Québec et on devrait les conserver plutôt que de les démolir pour des raisons de fantaisie. Ah! les bonnes vieilles maisons de Québec, les vieux manoirs à combles français! C'est si simple, si reposant à regarder, si solide et si accueillant! C'est à les regarder qu'on comprend que nos vieux, ceux qui ont bâti le pays, savaient faire quelque chose. Ça, c'étaient des artistes d'instinct, des vrais, parce que c'étaient des artistes sans le savoir. Eux autres, ils se creusaient pas la tête pour savoir combien de centaines de personnes on pourrait empiler dans une boîte, en leur chargeant un loyer fou! Non! quand ils avaient choisi un coin de terre où il y avait des arbres, du soleil, une vue qui donnait sur l'horizon, sur la mer, sur le large, eh bien! ils plantaient piquet là, comme on dit. Ils se bâtissaient une grande maison solide, avec des murs de trois pieds d'épaisseur, avec des grandes portes pour mieux accueillir les amis, avec des grandes fenêtres pour mieux regarder l'horizon, avec des grandes cheminées pour se chauffer pendant les longs soirs d'hiver; enfin, des grandes maisons pour abriter des grandes familles. Oui, mes vieux, quand on les regarde, ces vieilles maisons comme il en reste encore tant à Québec, on pense à ceux qui les ont bâties. Il me semble que ces vieux-là, quand ils bâtissaient, pensaient pas rien qu'à eux autres; ils pensaient à toute leur famille qui grandissait, au pays qui grandissait lui aussi, de peine et de misère, malgré les intendants Bigot et tous les exploiteurs dorés sur tranche de ce temps-là. Oui, espérons qu'on les verra encore longtemps les bonnes vieilles maisons de Québec et que c'est pas de sitôt qu'elles seront remplacées par des cabanes avec des escaliers en tire-bouchon, des corniches en tôle frisée, des tours et des clochetons biscornus ou par ces boîtes en béton toutes carrées qu'on appelle des maisons modernes et qui ont l'air réjouissant d'une glacière pour conserver les morts de la morgue. Espérons que le Vieux-Québec survivra et qu'on le verra pas remplacé par de ces maisons de cauchemar où on n'ose plus vivre. C'est à cause de la laideur de nos maisons qu'on veut plus y rester. La maison, aujourd'hui, c'est plus rien que la place où on laisse son habillement du dimanche puis sa chemise de rechange, la place où on entre se coucher quand on sait plus où aller parce que toutes les tavernes et les clubs de nuit sont fermés; la place où on est bien obligé de rester quand il fait trop mauvais pour mettre le nez dehors ou ben parce qu'on a la grippe!...

Et puis, mes vieux, quand on se promène dans les rues de Québec, on a comme l'impression que là, on a le temps de vivre, de respirer, de penser à autre chose qu'à l'éternelle piastre, à l'éternel «temps c'est de l'argent». On peut flâner le long des rues sans se faire bousculer par des gens pressés qui savent pas où est-ce qu'ils vont. Jusqu'aux petits trams qui s'arrêtent pour nous laisser passer. Même dans les restaurants, on voit les gens prendre le temps de manger au lieu d'engouffrer. On cause, on badine, on discute, on s'amuse, enfin, on vit!...

Aïe! dormez-vous les gars?... Ah oui! ça se pourrait que s'il y avait des gens de Québec qui m'écoutaient, ils se sont endormis, parce que je savais pas parler de Québec comme il aurait fallu! Qu'est-ce que vous voulez? J'ai eu beau faire mon possible, je le sais, allez! que l'image que je vous ai faite de Québec, c'est ben pâle et manqué. Il aurait fallu que je sois capable de refaire avec vous autres le tour de tous les coins et recoins et de vous raconter l'histoire de chaque pierre, de chaque pavé, de chaque arbre, de chaque vieux mur qui dort sous sa carapace de mousse grise. Seulement, peut-être qu'avec mes pauvres mots, je vous aurai un petit peu appris à l'aimer, à le comprendre et à vouloir le connaître et l'aimer encore plus! Et puis, mes vieux, dans notre pays encore tout jeune au prix des autres, on n'a pas beaucoup de belles vieilles choses à montrer ni à conserver. Il faut nous appliquer à garder le peu qu'on a. Surtout que de ce temps-ci, les vieux pays se font démolir pierre par pierre tous leurs vieux monuments, tout ce qui parle de beauté, d'art et d'héroïsme. Qu'est-ce qu'il va rester de toutes ces merveilles, quand le fou furieux qui dirige les Allemands se sera fait coffrer quelque part; quand son ami Mussolini, cet être si vil, si abject qu'on se déshonorerait en lui donnant le nom d'homme et qu'on ne peut pas l'appeler du nom d'animal sans insulter toute une classe d'êtres innocents, aura fini, lui aussi, de démolir le vieux monde?

Et puis, il faut qu'on s'attache plus que jamais à toutes nos vieilles choses puisque le monde qui va se lever demain après la grande tragédie n'aura peut-être plus l'enthousiasme et la foi des anciens jours pour savoir créer encore de la beauté... Voyez-vous autrefois..., et il n'y a pas encore longtemps, notre première préoccupation c'était de travailler pour vivre et de vivre pour être heureux. Aujourd'hui, malgré nous autres, il faut travailler pour être en état de tuer, si on veut pas se faire tuer nous autres mêmes.

Me voilà rendu bien loin du bon Vieux-Québec, allez! Et puisque voilà le temps de vous dire bonsoir, mes amis de Québec et de partout, oublions pour un moment les misères du temps pour nous ressouvenir du bon temps passé, c'est le meilleur moyen de ne pas s'enrager contre la vie et de pouvoir chacun se dire: «J'aime toujours la vie, quand même j'en arrache!»

Bonsoir... vu que je vous laisse moins tard que d'habitude, vous avez encore le temps de fumer une bonne pipe avant d'aller vous coucher ou bien une bonne cigarette, vous, mesdemoiselles. Bonsoir! Si vous fumez dans votre lit, prenez garde au feu!... Et sans rancune aucune, hein?

23 avril 1941

Les vieilles pharmacies

Vous rappelez-vous quand on était petits puis qu'on faisait des commissions pour gagner une grosse cenne noire? Bayette, dans ce temps-là, les cennes étaient plus grosses qu'à cette heure, puis on pouvait acheter quelque chose avec; c'était pas bon rien que pour payer la taxe de vente!... En tout cas, je sais pas si vous étiez comme moi, mais la place où c'est que j'aimais le mieux aller, c'était chez l'apothicaire, autrement dit, chez le pharmacien, mes jeunes... Dans ce temps-là, c'était aisé de trouver la pharmacie. On cherchait le magasin qui avait une grosse bouteille rouge, puis une grosse bleue dans sa vitrine. C'était pas plus mêlant que ça... Bayette, me semble de me voir encore entrer à la pharmacie Lecours, au coin de la rue Bonsecours puis Craig. On n'avait pas aussitôt mis la main sur le bec de cane qui servait de poignée de porte que déjà on sentait l'odeur de pharmacie. Mon ami l'apothicaire du coin me disait l'autre jour que cette senteur-là, c'était un mélange d'odeur d'iode, d'iodoforme, de valériane puis d'acide carbonique avec, des fois, du parfum Roure-Bertrand ou ben Lesourd-Pivert. En tout cas, on pouvait pas se tromper en rentrant dans une pharmacie, ça sentait les remèdes à plein nez. Et puis, bayette, que c'était beau de voir la belle balance sur le comptoir, la belle balance dans sa boîte noire à dessus en marbre, avec deux beaux plateaux en or, puis des poids en or aussi.

Vous comprenez que pour des petits gars, ça, ça pouvait pas être d'autre chose que de l'or, hein? Et puis, de voir toutes les belles bouteilles en rang d'oignons, des belles bouteilles avec des étiquettes en or aussi, avec des noms qu'on pouvait pas comprendre, même quand on savait lire dans notre catéchisme. Et puis, les rouleaux de papier blanc et la boule de corde rouge pour faire les paquets!... Bayette, dans notre temps, vous auriez pu marcher d'un magasin à l'autre depuis le Marché à foin jusqu'au pied du Courant, puis vous auriez pas vu de ce papier-là ailleurs que chez les apothicaires. Tous les autres marchands enveloppaient leurs paquets, le beurre puis la graisse comme le reste — avec de la gazette.

Les apothicaires de ce temps-là étaient comme ceux d'à cette heure, ils étaient ben polis pour les enfants, puis ils essayaient de comprendre ce qu'on leur demandait. Comme de raison, des fois, on allait faire remplir des prescriptions de docteur, mais ben souvent, on allait chercher des herbages puis des remèdes de famille, des remèdes de grands-mères, puis de grands-pères aussi. Tenez, au printemps, par exemple, quand notre mère nous voyait des boutons sur le nez, elle nous envoyait acheter cinq cennes de soufre. Puis, elle mettait ça dans de la mélasse, puis fallait prendre çà à la grande cuillerée à soupe! Bayette, ça vous donne pas encore des frissons sur le corps d'y penser? Puis, parlez donc de l'huile de foie de morue puis de l'huile de castor, hein? Un autre remède qu'on achetait chez l'apothicaire, c'était de la salsepareille en branches pour faire de la tisane ou ben du sirop, encore pour clarifier le sang. Et puis, je finirais plus si je voulais nommer tous les remèdes qui guérissaient de tous maux, comme la réglisse en branches, les têtes de camomille, la paparmane, l'eau sédative, la corne de cerf, l'onguent de poudre à fusil... et puis, l'esprit de boucane pour le mal de dents! Faudrait pas oublier aussi le fameux sirop qui était fait avec cinq cennes de parégorique, cinq cennes de tolu, cinq cennes de gomme d'épinette, cinq cennes de créosote, que notre mère mettait dans de la mélasse. Rien qu'une cuillerée de ça puis ça vous ôtait le goût d'avoir le rhume; vous aimiez mieux aller à l'école tout l'hiver que de prendre ça! Comme de raison, c'est pas tout ce que les apothicaires vendaient, mais c'était surtout des fichues affaires de même qu'on allait chercher quand on était petits gars, hein? Puis, une fois que l'apothicaire commençait à nous connaître, il avait toujours quelques surettes à nous donner ou ben des bonbons Coquelicots de Tavernier. Bayette! des je m'ennuie de plus en manger! Et puis, en parlant de pharmacie, vous devez vous rappeler comme moi de quelques vieilles pharmacies de votre temps, à part de la pharmacie Lecours que je vous nommais tantôt? Y avait la pharmacie Picault & Contant, sur le coin de la rue Notre-Dame puis Bonsecours, la pharmacie Maillet, sur la rue Craig; la pharmacie Décary au coin de la rue Saint-Denis puis Sainte-Catherine. Une que j'aimais ben, c'était la pharmacie Nationale, sur la rue Saint-Laurent, autour du Monument-National. Bayette, pensez donc, là, il y avait une fontaine à soda. Vous rappelez-vous que sur le beau comptoir en marbre, il y avait des beaux robinets argentés, puis au-dessus de ça une grosse boule en verre avec la statue d'une belle demoiselle dedans qui se faisait inonder d'eau quand on ouvrait le robinet. Bayette! c'était le temps des sodas puis des crèmes à la glace à cinq cennes, puis ça c'était sucré! L'autre soir, justement, parce que je repensais aux vieilles pharmacies, je suis rentré jaser avec l'apothicaire au coin de chez nous. J'étais à lui dire que les pharmacies vendent encore du soda, puis qu'ils vendent de la papeterie, puis d'autres choses. Savez-vous qu'est-ce qu'il m'a répondu? Eh ben, mes bons amis, il paraît que dans les vieilles pharmacies des vieux pays, en 1550, à peu près, c'étaient les pharmaciens qui avaient le monopole de la vente justement du papier, des plumes, de l'encre, de la cire à cacheter. Le commerce des bonbons puis des sirops, c'était à eux autres, dans ce temps-là aussi ou à peu près dans ce temps-là. Tenez, il me disait que c'est un pharmacien de Florence, vers 1660, qui avait commencé à vendre du sorbet au citron. Paraît que dans ce temps-là, la limonade c'était à la mode comme les vitamines d'aujourd'hui pour soigner le scorbut. Un bon jour, il s'est imaginé de faire sa limonade puis de servir ça à ses clients. Faut vous dire aussi que dans ce temps-là le sucre, il y en avait pas sur toutes les tables comme à cette heure. C'était un remède qu'on trouvait rien que chez l'apothicaire; le sucre puis le miel, c'était là qu'on trouvait ça. Ben mieux que ça, mon ami l'apothicaire me disait que les premières bananes que les Anglais ont vues à Londres et qui venaient d'Afrique, c'est un pharmacien qui les avait vendues. Bayette! pensez donc, entrer chez un pharmacien en 1632 puis se faire faire un *banana split*, hein? Puis, des fontaines à soda, ça date pas d'hier, puisque c'est en 1790, chez le pharmacien Nicolas Paul à Florence que la première a été installée. Puis, ben avant ça, en 1602, c'étaient les pharmaciens qui avaient le monopole de la vente du gâteau au gingembre.

Bayette! allez donc trouver ça curieux à cette heure que les pharmaciens vendent pas rien que de l'huile de castor puis des poisons aujourd'hui.

Comme de raison, des pharmaciens, il y en avait ben avant notre temps, mes bons amis, comme vous avez pu voir par ce que je viens de dire. Ensuite, oubliez pas que Louis Hébert, le premier pharmacien établi au Canada, puis à ce compte-là, dans l'Amérique du Nord, eh ben! ç'a été aussi le premier colon du Canada. Avant lui, il y a ben eu Jean Gilet qui est venu faire un voyage avec Jacques Cartier. L'histoire ne dit pas si c'est lui qui a préparé la prescription du docteur sauvage qui a prescrit une infusion d'écorce d'épinette pour guérir les compagnons de Jacques Cartier qui se mouraient du scorbut... Pensez donc, les docteurs sauvages savaient déjà qu'il y avait des vitamines dans l'écorce d'épinette! On sait ben qu'il a fallu qu'il y ait un pharmacien au commencement du monde aussitôt qu'il y a eu de la maladie. En tout cas, un des premiers pharmaciens, ç'a dû être l'archange Raphaël, celui qui a préparé de l'huile de poisson pour guérir le père Tobie qui était aveugle. Mais, tout ça, c'est un peu loin de notre temps, hein?

Vous êtes-vous déjà demandé d'où ça venait l'habitude qu'ont les pharmaciens d'avoir de grosses bouteilles rouges, bleues, vertes ou jaunes dans leurs vitrines? À ce qu'on me disait, c'est un souvenir de l'ancien temps. Il paraît que les pharmaciens faisaient macérer des herbes dans de l'eau ou dans de l'alcool dans des grandes bouteilles. Puis, suivant les directions, fallait que ça se fasse à la lumière. Ça fait que le moyen le plus simple, eh bien, c'était de mettre les grosses bouteilles dans la fenêtre... Et puis, avez-vous remarqué l'espèce de lettre *R* avec une barre qu'il y a sur les prescriptions que le docteur vous donne... le docteur vous la donne, c'est une manière de dire, comme de raison! En tout cas, cette lettre *R* là, c'est un vieux signe qui date de quatre ou cinq mille ans. C'était une espèce de prière aux dieux de la santé de ce temps-là! — On sait ben, il y a des mauvaises langues qui disent que, quand on tombe entre les mains des docteurs, on est mieux de faire des prières.

Puis, en parlant de prescriptions, il paraît que la plus vieille prescription qui existe est au British Museum. Elle est gravée sur une tablette de pierre qui pèse à peu près cinq cents livres. Bayette! une chance que c'est plus comme il y a cinq mille ans, à cette heure. Vous vous voyez pas sortir de chez le docteur avec une prescription qui pèserait cinq cents livres! Et puis, voyez-vous le pharmacien qui en recevrait une centaine comme ça par jour? Ça serait pas aisé à mettre en filière, hein?

Ça aussi, c'est loin de notre temps, mais vous rappelez-vous des anciennes vitrines de pharmacie, quand il y avait des bouteilles de vers solitaires, des herbages, puis pas beaucoup de remèdes patentés. Seulement, je sais pas s'il y en a beaucoup qui se rappellent de l'annonce du remède des sept sœurs Sutherland pour faire pousser les cheveux? Vous en rappelez-vous, mes vieux, des sept demoiselles Sutherland installées bien en vie dans les vitrines de la pharmacie Lecours, au coin Saint-Denis et Sainte-Catherine? Bayette! c'étaient sept belles filles bien plantées avec chacune une tignasse de cheveux qui leur descendaient jusqu'aux talons! Je pourrais pas dire si leur remède faisait pousser les cheveux. En tout cas, elles, elles faisaient pousser ben des soupirs à ceux qui les voyaient!

En tout cas, je suis bien sûr que les pharmaciens d'aujourd'hui sont des bons amis de tout le monde comme étaient les apothicaires de notre temps de petits gars…

Et après ce petit voyage à travers les vieux souvenirs, je vous dis bonsoir en vous redisant comme toujours: j'aime bien la vie, quand même j'en arrache!

8 juin 1948

Lettres à Alfred DesRochers
(1926-1932)

Montréal, 19 avril 1926

M. Alfred DesRochers,
Rédacteur à *La Tribune* de Sherbrooke,
Ancien Grand Chevalier de la Valise.

Mon cher confrère,

Je reçois beaucoup de lettres, (surtout de plaintes .. du bureau)... mais j'en reçois bien rarement d'aussi agréables et d'aussi joyeuses que votre épître 1re qui sera j'ose l'espérer, suivi de plusieurs autres!

Je vous remercie de vos bonnes paroles, de vos bonnes blagues, enfin! de tout. Votre ballade en cinq-secs m'a fort amusé et fort plu. J'abonde en votre sens, et je déclare avec vous que le refrain est d'une éternelle vérité! C'est l'expérience qui parle!

Vous trouviez que nos «lignes» étaient bien différentes. C'est qu'on vous a laissé sous une fausse impression. Non! mon cher, nos lignes, loin d'être différentes, sont parallèles, et même en dépit d'Euclide et de mon professeur de math, elles se rencontrent... dans le même magasin: vous vendiez de la ferronnerie; je vends... de la peinture! Là! le théorème est démontré: deux lignes parallèles se rencontrent. Mais, tandis que j'explique, vous suffoquez de surprise, vous allez tomber en défaillance en vous demandant pourquoi, étant pharmacien, je vends des peintures! Rassurez-vous! Je vais vous expliquer.

Après douze ans de pharmacie durant lesquelles j'ai vendu force peinture pour enluminer les joues, le nez et les lèvres de ces dames, je me suis décidé à vendre de la peinture pour les maisons... D'ailleurs, c'était une question de santé; j'avais besoin d'air et de repos. Mon médecin m'avait dit: «Si tu persistes à rester au comptoir, tu peux, selon tes préférences apprendre à jouer de la harpe et t'acheter un halo, des ailes et une jaquette de mousseline blanche en vue du ciel, ou bien t'acheter une paire "d'overalls" en amiante et une pelle, et te faire assurer contre le feu: tu ne vivras pas un an!» Et voilà comment je suis devenu voyageur de Martin-Senour! Vous avez vu que de la pharmacie à la peinture, la transition a été douce et en accord avec les préceptes de l'Art poétique qui nous dit de «passer du grave au doux, du rasant au sévère».

Oh! ces classiques! leurs phrases éternelles dirigent encore aujourd'hui tous nos actes! Regardez le cireur de bottes, est-ce qu'il n'écoute pas Boileau?

> Vingt fois sur le métier remettez votre ouvrage,
> Polissez-le sans cesse, et le repolissez.

J'admets que la chose vous paraisse étonnante qu'un poète soit voyageur. D'abord, suis-je poète? J'ai commis un bouquin de rimes à l'âge où l'on fait des bêtises. Puis, l'on a attaché à mon nom ce titre de poète à peu près comme on attache une casserole à la queue d'un chien!

D'ailleurs, des poètes-voyageurs, il y en a toujours eu. Les trouvères, les troubadours... voyageaient comme moi à tous les temps, par tous les chemins, mangeant de la vache enragée. Encore chanceux quand aujourd'hui on peut en manger au prix qu'elle est; d'aucuns doivent se contenter des viandes en boîte de chez Renaud de Québec. Si j'en crois une poésie de Désilets, les trouvères ou troubadours disaient des vers et se contentaient pour prix des troubles du voyage de recevoir des sou-rires. Je ne vois pas beaucoup mon gérant me voir arriver avec des sourires et pas de commandes! Il préfère les sourires de commande! (Non! mais est-ce que je suis fin, hein?)

Mes rimes vous ont plu, tant mieux! Je vous remercie de vos bonnes paroles. Vous savez, ça fait toujours un «velours» d'être félicité... surtout quand on ne le mérite guère! Mon vers-boutade: «Prendre une cuillerée à thé» etc. vous a amusé? La vie, fort heureusement, est remplie de ces alexandrins ignorés ou méconnus qui font qu'on parle en vers sans le savoir, comme Jourdain parlait en prose. Quand vous dites dans votre journal: «Notre correspondant d'Ottawa nous écrit», c'est un alexandrin que ne désavouerait pas défunt Hugo.

«Aujourd'hui, beau et chaud; vent modéré: demain».

Encore un!

«Je voudrais un paquet de tabac canadien!»

Encore un!

Enfin, quelle mélancolie profonde m'envahit quand j'entends cet alexandrin héroïque tomber des lèvres de mes clients: «Je n'ai besoin de rien dans ta ligne aujourd'hui.»

Ah! comme il eut raison celui qui écrivit: «*Sunt lacrymæ rerum!*»

... Dites donc? me lisez-vous encore? Je puis «stopper» ici, vous savez!

Vous n'avez rien dit? Alors, je continue encore un petit bout! Vous me demandez si j'ai des livres à vendre, et vous voulez bien me les annoncer. Vous êtes bien gentil! Oui, j'en ai encore quelques-uns, mais, ils sont tous ici. Je n'en ai plus en librairie. Les bonnes âmes qui en désireraient peuvent m'adresser leur supplique et soixante sous, et je serai heureux de leur adresser mon bouquin par la poste, comme si j'étais la maison Eaton....

Maintenant, vous savez pas mal mon histoire! Pour compléter, je vous dirai que j'ai trente-deux ans, toutes mes dents sauf une que j'ai laissée dans un steak d'hôtel ces jours derniers... Je voyage assez souvent dans la Beauce et autour de Sherbrooke. J'irai vous déranger à votre bureau quelque bon jour!

Mes activités littéraires sont assez... peu actives pour le moment. Je repolis un acte en vers qui sera joué à l'automne à Québec. Je fais des chansons et monologues pour le chanteur Charles Marchand. Je suis connu dans ce genre, ou plutôt j'espère devenir connu sous le pseudo de «Jean Narrache». Ceci est le côté «payant» de la littérature: royauté sur les monologues, la musique en feuilles et les disques Columbia!

... Je suis marié depuis cinq ans à une femme charmante; je n'ai pas d'enfant, elle non plus! Mon rêve? «lâcher» le voyage un bon jour, faire de la littérature et retourner au journalisme! Car, à dix-sept ans, j'étais rédacteur propriétaire — courriériste — correcteur d'épreuves et imprimeur du journal du séminaire de Nicolet: *Le Mercredi*. Les élèves pour me payer de m'avoir lu me donnaient du tabac et des bonbons; les maîtres, eux, me donnaient... des vers grecs!

... Vous me demandez de l'inédit! Ma foi! Je n'ai rien de «montrable» dans le moment! Mes monologues humoristiques appartiennent pour la publication à Charles Marchand! Je vous envoie pour vous amuser (?) un de ces monologues et une pièce intitulée: «Mon livre d'heures», en attendant mieux!

J'espère que je ne vous ai pas rasé trop ras! Écrivez-moi encore hein? et quand vous voudrez m'envoyer des vers, je serai heureux de vous lire aussi!

D'un confrère en Chevalerie de la Valise

ÉMILE CODERRE
571, rue Université app. 3

P.-S.: Après le premier mai, même adresse, sauf app. 1 au lieu de 3.

❑

MON LIVRE D'HEURES

«Ainsi toujours poussés vers de nouveaux rivages...»
(Lamartine)

Non, ce n'est pas un livre à riche reliure,
Un livre à fermoir d'or et serrure à secret,
Écrit sur du vélin, orné d'enluminures,
Œuvre d'obscur artiste ou de moine replet;

Mon livre d'heures n'est qu'une simple brochure
Sur du mauvais papier n'ayant aucun cachet.
Compagnon de ma vie et de mes aventures,
Il est toujours pour moi le livre de chevet.

C'est lui que je consulte en mes heures de doute,
Quand je suis inquiet, esseulé sur la route,
Et sans lui, si souvent, combien j'aurais souffert!

Aussi «toujours poussé vers de nouveaux rivages»,
J'emporterai toujours en partant pour voyage
L'horaire des chemins de fer.

ÉMILE CODERRE

Montréal, 16 mai 1926

Mons. Alfred DesRochers
Sherbrooke

Mon cher confrère,

Je me débattais dans les affres du déménagement quand j'ai reçu votre dernière missive. Vous ne m'en voudrez donc pas trop si j'ai eu l'air de dormir.

Je vous offre mes sympathies pour le chagrin qui vous a frappé, et je fais des vœux pour que votre compagne, bien gentille j'en suis sûr, se rétablisse au plus tôt...

J'ai assez vécu durant mon stage de pharmacien dans la promiscuité des morticoles pour avoir les mêmes idées que vous sur leurs connaissances infinitésimales et leur ignorance monumentale. D'ailleurs, ma femme paye depuis bientôt quinze ans la peine d'être tombée entre les mains d'une «célébrité» médicale qui lui a ruiné la santé presque totalement.

Je me suis bien amusé de vos vers écrits «En gossant des manches de hache». Je suis sûr qu'un beau jour les manches seront en état de recevoir les bonnes têtes de hache qui pourront pourfendre un peu certains crânes bourrés et endurcis... C'est la grâce que je vous souhaite!

Vous devinez qu'à ce temps-ci, je nage dans la peinture; j'en suis noyé et sursaturé. Je n'ose plus lever les yeux et m'arrêter à contempler la nature qui s'éveille! Pauvre poète manqué, les nuages pour moi sont «Outside white», l'azur est bleu 532, le gazon, vert 527, le soir, lilas 547 et ainsi de suite... J'ai une âme de catalogue de peintures!

... Vous me parlez de l'aspect «cimetièresque» de notre poésie nationale qui semble écrite par des embaumeurs entre deux enterrements. C'est tout à fait vrai. C'est épatant comme tous se prennent au sérieux comme des condamnés à mort. Il y a, comme vous dites, ceux qui sont subconsciemment ou inconsciemment comiques, comme par exemple le dénommé Larivière, de Trois-Rivières, dont vous avez peut-être lu «Les confessions d'un Amant»! Si vous ne l'avez pas lu, dites-le-moi, je vous prêterai l'exemplaire que je possède, et si vous comprenez quelque chose dans tout son livre, je vends ma couenne au diable pour se faire des gretons. Les vers sont de six syllabes en montant jusqu'à onze, treize et dix-sept syllabes.

Tiens. Je vous en envoie des échantillons (c'est le voyageur qui perce!). Fragments «Le poète et la Muse» —

> ... La Muse:
> Le mal que tu endures est semblable à Musset.
> Tu veux du souvenir une douce consolation,
> Tu veux connaître enfin l'idéal et la paix,
> D'une âme poétique qui cherche le pardon. [*Sic*]
>
> ... Le poète:
> ... C'est de toute mon âme que je vais vous parler
> Car c'est au fond du cœur que l'on ressent la tristesse.
> Tout le prouve ici-bas et si vous avez aimé:
> Vous comprendrez la misère des amants sans maîtresse.
> [*Bi-Sic*]
>
> ... Le poète:
> Honte à toi, dure fillette
> Tu as empoisonné ma vie!
> Mon âme est celle d'un poète
> Et je pleure à la folie [*Tri-Sic*!!]
> ...
> Mais malgré moi, *chaque nuit, l'infini me tourmente*[1]
> Et je ne puis dormir en présence de l'amour...
> [traduction littérale: Le poète a des *Wet dreams*!]

1. C'est Coderre qui souligne.

J'en passe et des meilleures, car tout le recueil est dans ce ton et ce style!

... Vous m'avez fait un portrait de vous... je ne vous accuserai sûrement pas de l'avoir flatté. Je crois que vous avez fait une caricature.

Vous voulez le mien?... J'appartiens au type «maigrichine», ayant cinq pieds et six pouces et pesant 116 livres avec mon chapeau! Signe distinctif: un nez épaté qui épate les passants, un de ces nez à la Cyrano! Quand vous verrez passer un homme caché derrière un nez, vous pourrez vous dire: «Tiens, Coderre est à Sherbrooke.» Je suis... blond, j'ai une chevelure de poète à l'antique; j'ai plus de cheveux que les dames et les demoiselles taillées «à la garçonne». Caractère: autrefois, mélancolique, sensible, malheureux et timide, morose et songe-creux; aujourd'hui, même chose mais modifié par une philosophie de «je m'en fichisme» et de «ne faut pas s'en faire»... Généralement distrait et mal fichu, très peu parleur, quelquefois très mordant dans ses reparties et ses réponses d'un cynisme effarant. Au fond un pauvre diable de bon garçon que la vie a pendant longtemps rudement balloté! Me v'là!... Je vous envoie un Noël de Jean Narrache et quelques vers du genre sérieux faisant partie d'un acte en vers que j'ai dans mes cartons. Je crois que le «Noël» est meilleur! Quant à vous, écrivez encore et envoyez-moi des vers, n'est-ce pas?

Si vous passez à Montréal, ne manquez pas de téléphoner Lancaster 6333, ou ce qui serait infiniment mieux, venez chez moi; si c'est à la fin de la semaine, j'y serai, et je serai content de vous voir.

Puisse la vache enragée vous être tendre!

Votre confrère,

ÉMILE CODERRE

Montréal, 26 août 1926

Mons. Alfred DesRochers,
22, rue Georges,
Sherbrooke

Mon cher ami,

Là, me voilà enfin qui vous arrive et ce n'est vraiment pas trop tôt, n'est-ce pas? Comme je vous le disais quand vous êtes venu si gentiment m'apporter des livres, j'ai eu la visite de mon collaborateur Plamondon. Vouez-le à tous les diables, c'est sa faute si je ne vous ai pas écrit et remercié plus tôt! Maintenant que j'ai mis la faute sur le dos d'un autre, mon affaire est belle!

Après lecture des échantillons (quel terme!) de vers que vous m'avez adressés, j'en viens à la conclusion que vous auriez tort de ne pas travailler un peu plus à cultiver la poésie. Si vous vouliez vous y mettre avec confiance, je vous assure que vous feriez bien. Vos vers qui semblent vous venir sans effort sont sûrement une belle promesse. Si vous voulez m'en croire, ciselez-nous de beaux vers semblables à un bon nombre de ceux que vous m'avez fait lire. Ne vous contentez pas seulement de «gosser des manches de hache»! Ce genre-là aussi me plaît, (vous n'en serez pas étonné puisque je m'y essaie moi-même), et vous avez vraiment le tour original et personnel qui convient. Cultivons ce genre, quand ce ne serait que pour scandaliser les pontifes du genre pompier dont notre littérature surabonde! Et puis, il y a moyen avec ces vers frustes de rendre beaucoup de la grande âme populaire. Jehan Rictus, si bien apprécié par Sèchè dans ce livre que vous m'avez prêté, a su faire de la beauté avec nos pauvres mots de tous les jours. Je vous avouerai que les vers les plus douloureux d'un De Musset ou d'un De Vigny n'ont pas su m'émouvoir comme les cris de douleur du «Revenant» et de la «Vieille». Je ne sais si vous avez lu dans son livre *Les cantilènes du malheur.* Cette «Jasante de la vieille» où il rapporte le soliloque d'une pauvre vieille mère. Elle est venue prier sur la fosse de son fils qui a été guillotiné. Après lui avoir raconté, comme s'il entendait, toute son enfance, elle s'écrie:

> Et à présent qu'te v'là ici
> Comme un chien crevé... une ordure,
> Comme un fumier... une pourriture,
> Sans un brin d'fleurs, sans un' couronne,
> N'avec la crèm' des criminels
> Qui c'est qui, malgré tout, vient t'voir?
> Qui qui t'escuse et qui t'pardonne?
> Qui c'est qu'en est la pus punie?
> C'est ta Vieille... toujours ta fidèle,
> Ta pauv' vieill' loqu' de Vieille, vois-tu!...

N'y a-t-il pas là quelque chose de déchirant dans ce tableau où même dans la boue du vice et de la dernière misère rayonne encore la sublimité de l'amour maternel qui survit malgré la honte, l'opprobre, le châtiment?

Je voudrais être capable d'écrire de pareilles choses, dans ce style qui effraie «les êtres bien pensants», mais dont vous comprenez si bien vous aussi l'art profond et véritable.

Humoristes à froid tant que nous sommes, au fond de vos vers de «gosseur de manches de hache» comme au fond des rimes de Jean Narrache, il y a l'âme ténébreuse et inexprimée des pauvres grands êtres simples qui souffrent et dont nous voulons exprimer les joies, les espoirs et les illusions, tout à côté de leurs tristesses, de leurs désillusions et de leurs inutiles élans vers le bonheur!...

... Je joins à la présente épître quelques vers de «Ô ces artistes!» Je ne sais si je vous les ai déjà envoyés. Ils ne sont pas tous fameux surtout ceux intitulés «Vers pour une femme», mais enfin, j'ai cru qu'ils étaient un peu en dehors du ton ordinaire et rabâché des poèmes à l'eau de rose. J'y ai joint la tirade «Vingt ans» due presque totalement à la plume de mon collaborateur. Je n'ai fait que rajuster quelques mots sans lui ôter l'accent cynique, désordonné mais si sincère qui la caractérise...

Je vous remercie de vos visites et de vos livres. Je n'ai qu'un regret: celui de ne pas vous avoir mieux reçu. Espérant toutefois que vous reviendrez quand même et qu'en attendant vous m'écrirez encore en prose et en vers, je vous dis au revoir!

Je vous serre la main,

ÉMILE CODERRE
1 h 30 A.M.!

Samedi saint, 16 avril 1927

Mon cher poète,

«Y a pas à berlander», c'est ben le printemps qui nous est arrivé dessus à l'improviste. Lui qu'on attendait vers le 15 juin nous est tombé en avril comme dans l'ancien bon vieux temps!

C'est le printemps. Dans les rues, «Ça sent la vierge et le lilas!» comme disait défunt Jehan Rictus. Moi, je trouve que ça sent tout bêtement la peinture, quand ça ne sent pas le *cold cream* ou le parfum «Faisez-moi rêver» de J. Jutras!

C'est le printemps! Et l'air attiédi du Golf Stream
Met les poètes en délire!
Ces pauvres gueux, sans tire-lire,
Chantent sur le luth et la lyre
L'odeur de la peinture et du «Vanishing Cream».

C'est le printemps! Les d'moiselles, chez les tailleurs
S'empressent, le cœur en joie,
D'acheter des robes de soie
Assez courtes pour qu'on leur voie
Au moins jusqu'aux genoux et même jusqu'ailleurs!

C'est le printemps! Fils à papa, jeunes fifis
S'achètent des habits «lavande»,
Des gants beurre-frais faits sur commande
Et chacun d'eux se dégingande,
De boutons printaniers ayant le nez bouffé!

«La chanson des ruts» (Jean Narrache)

J'ai reçu votre plaidoyer *pro domo* et je suis content de voir que vous vous défendez sur certains points sur lesquels, après examen, vous avez bien raison. Vous m'êtes revenu: donc «les morts que je tue se portent bien» , et cela me fait plaisir. J'ai lu et étudié avec plaisir votre nouveau «batch» de pièces. Elles m'ont plu, et je suis sûr que ces morceaux joints aux autres plairont à ceux à qui vous les adresserez. Un coup de lime encore ici et là, et tout sera bien. Continuez...

... Vous n'aimez pas Edmond Rostand?!?! Mé, mé, mé! Moi qui l'adore! J'en conviens, il a des tas de défauts, surtout ceux de ses qualités. Mais, il est merveilleux! J'abhorre le Rostand de *Don Juan* et des poésies de la guerre. Mais, relisez donc dans *Les musardises*: «La lampe», «Le divan», «Les parenthèses», et surtout «Le contrebandier»! Ah! Je voudrais être ce Rostand-là moi! Je l'aurai aimé toute ma vie hélas! sans lui ressembler en rien! Je donnerais tous mes vers et ceux de plusieurs autres pour certaines strophes, certains vers, certains hémistiches de Rostand. Soyez sûr, ingrat que vous êtes!! que dans mon cœur, je vous fais un grrrrand compliment en vous apparentant à Rostand!

Du reste, je ne vous damnerai pas de ne pas l'aimer. J'ai tant besoin de me faire pardonner par d'autres d'abhorer Boileau (qui, soit dit entre nous, ne fut jamais poète!), Voltaire (qui ne le fut pas non plus!) J. B. Rousseau, Victor de La Prade, Henri de Bornier... Gustave Zidler (quelle scie, quel godendart!) et le Maurice Maeterlinck de «L'oiseau bleu» (quelle égoïne!!)

... Vous avez quand vous parlez des pontifes de l'Heure des vaches et des poètes exagérés du «Tiroir» des idées qui emboîtent le pas avec les miennes. Voyons, est-ce que des idées peuvent emboîter le pas? Ben oui! puisque les idées marchent. Même qu'on nous casse la tête et la g... avec «la marche des idées»!...

D'abord, avouons qu'après tous les efforts faits pour illustrer le genre du terroir, nous n'avons pas encore un seul grand poète de cette école.

Crémazie, puis Fréchette furent de grands patriotes et de grands romantiques, (toutes choses égales d'ailleurs, et eu égard au temps et aux circonstances): Chapman fut le roi des poètes dysentériques à longue haleine: Nelligan, même incomplet, est notre plus grand *poète - poète*[1]: Lozeau le suivit (de loin) jusqu'au jour où il voulut chanter le «Tiroir» et la guerre. (Essayez de relire «Lauriers et feuilles d'érables»! J'admire le talent, la virtuosité de Paul Morin, mais il n'a pas d'âme, et partant, ce n'est pas un poète complet. De toutes les femmes qui ont écrit et écrivent sur nos bords, c'est Jovette qui est la plus poète, parce que la plus sincère, la plus humaine aussi. Mais où sont les Terroiristes??? Notre brave et dévoué Désilets est forcé de faire du terroir tandis qu'il serait mille fois poète meilleur dans le genre naturel. Ne lui en voulons pas, si son grand cœur enthousiaste et patriote le mène assez loin pour sacrifier son talent naturel à la cause du terroir. Le jeu qu'il fait est dangereux; Ferland a brisé sa lyre de cette façon-là, lui. «La flamme ardente» dont j'ai eu quelques primeurs et qui sera, je l'espère, bientôt publiée vous révélera Jean Charbonneau comme notre meilleur poète canadien. Il n'est pas terroiriste pourtant!

Non! le genre «terroir» ne sera jamais qu'un genre. Et quoi qu'on en dise, il ne sera jamais le genre poétique national. Si grandes qu'on suppose ses bornes, elles n'enfermeront jamais tous les idéals, toutes les aspirations, tous les rêves, tous les souvenirs de notre race. Avant d'être terriens, nous sommes humains, et la poésie chante d'abord l'âme humaine placée au-dessus de toutes les conditions sociales, religieuses, utilitaires. L'âme humaine, je le disais dans ma conférence de Québec, n'a pas évolué au fond, depuis Adam! On a mis d'autres étiquettes sur nos aspirations, nos espoirs, nos amours, nos

1. C'est Coderre qui souligne.

joies, nos craintes, nos douleurs, nos etc. etc. Notre psychologie a multiplié les façons savamment perverses de nous faire souffrir, mais chaque passion ou chaque vertu prise en son sens littéral est la même passion, la même vertu qu'il y a quatre mille ans, ou quatre millions d'années. Et le terrain naturel de la poésie est resté le même aussi puisqu'il exprime l'âme humaine avec ses espoirs sans cesse trompés, ses bonheurs sans cesse recherchés, ses amours sans cesse irrassasiées! La poésie didactique, ou terroiriste ou descriptive n'est pas la poésie intégrale, elle n'est pas la poésie du tout dès qu'elle s'éloigne de l'âme. Mettez la trigonométrie ou la «Cuisinière Canadienne» en vers, vous ne faites pas de poésie; mettez le guide Baedeker en alexandrins ou chantez «l'arrachage des pétakes», vous n'aurez fait que des vers, mais de poésie, pas!

Le défaut capital de nos «terroiristes», c'est, entre autres, de n'avoir pas de sentiments réels et vraisemblables et d'ignorer la terre et son vocabulaire propre. Nos «habitants» sont intelligents, ils ont leur philosophie fruste et profonde, soit. Mais, on les fait parler comme des Bossuet; on leur prête des idées et des expressions qu'ils n'ont pas et n'ont jamais eues. Neuf terroiristes sur dix chantent les arbres sans savoir ce que c'est qu'un pin, une épinette, une pruche, un érable à giguère ou un orme. Ils disent «les arbres», les «fleurs», c'est vague, c'est flasque, c'est vide; ça pue l'ignorance, le procédé et... le manque d'école.

Et puis, d'ailleurs on parle beaucoup et on radote surtout énormément en parlant de l'amour de notre peuple pour la terre. Notre peuple n'aime pas la terre, il fuit vers la ville, les «États», l'industrie. Si les poètes du terroir savaient leur métier, ils feraient aimer la terre à ceux qui sont les premiers susceptibles de la comprendre. Mais les terriens décrits par les poètes ressemblent autant aux véritables terriens que les bergères du petit Trianon ressemblaient à celles de la vie réelle.

Du reste, l'habitant qui aime sa terre, l'aime d'un amour très prosaïque; c'est l'attachement de l'homme pour son gagne-pain. C'est naturel et logique, et la poésie qui chante la terre n'a pas plus qu'une autre le droit de se croire, à elle seule, «la Poésie totale». À ce compte-là, pourquoi le barbier du coin ne fonderait-il pas la poésie «figaro-iste», et le menuisier, la poésie «virebouquin-iste», et moi, la poésie «canistre-à-peinturiste»? Et que chacun de nous se mette à hurler que sa poésie est la Poésie, une sainte, catholique et apostolique. Qu'en dehors d'elle, il n'y ait plus de salut ou de chahut!

D'ailleurs le terroir, poésie nationale, expression de l'âme canadienne est historiquement un non-sens. Quand nos pauvres diables d'ancêtres arrivèrent ici, quel fut l'ennemi (plus difficile à vaincre que le sauvage) qu'ils eurent à affronter? Ce fut la forêt! Oui, la forêt, la brousse, la terre rocailleuse qui après des mois leur donnaient pour prix de leur labeur une misérable poignée de blé d'Inde ou de sarrasin! Inconsciemment survit en nous la notion ancestrale que la terre est la cruelle sans entrailles à laquelle il faut arracher péniblement de quoi ne pas périr de faim. Les arbres? obstacles à la culture; bons à abattre pour se chauffer, pour en faire «de la planche»! Les fleurs? «de la mauvaise harbe» qui nuit aux récoltes. Voilà comment, au fond de l'âme, le cynique sincère envisage la nature entière, quand il veut l'envisager avec les sentiments que ses ancêtres lui ont légués. C'est par éducation, par habitude difficilement acquise, (parfois par snobisme et par hypocrisie) que nous, les arrière-petits-fils de nos pauvres gueux d'ancêtres nobles et valeureux bûcherons, nous aimons les arbres, les fleurs pour leur beauté et leurs charmes intrinsèques. Quant aux fleurs, nos jolies fleurettes des champs et des bois, elles sont restées, pour les trois quarts, de la «mauvaise harbe». Essayez de faire admirer à un «habitant» un coin de champ fleuri de marguerites, de moutarde, de chicorée ou de dandelions!

La poésie artificielle du terroir ne fera pas aimer la terre parce qu'elle est imparfaite et factice. Les terroiristes écriront toujours suivant les conseils des vicaires et des curés de campagne qui font don de ces vers-là aux bibliothèques paroissiales, sans les avoir lus; suivant le bon plaisir des préfets de collège qui donnent ces livres aux distributions de prix à des élèves qui ne les ouvriront même pas!

La poésie de la race, c'est celle qui exprime notre âme influencée inconsciemment ou subconsciemment par notre éducation familiale, religieuse, sociale, par les données de notre histoire, par les luttes particulières à notre race, par nos problèmes nationaux, par les aspects de notre nature, par notre climat même. Quand nous écrivons, tout cela transparaît dans nos vers; et c'est ce qui fait que les vers d'un «canayen», si parfaits puissent-ils être, ne seront pas confondus avec ceux d'un poète français dont les influences et le milieu sont différents des nôtres. Cela est si vrai qu'en France où les poètes sont légion, on peut presque toujours à coup sûr deviner où vit le poète à la lecture de ses vers. Le poète parisien n'est pas le poète normand, et Rostand dans ses vers s'affirme méridional tandis que Mercier ne l'est pas...

... Je vous écris tout cela pêle-mêle, et il se peut que par moment, je radote! J'accorde la vie aux terroiristes en autant qu'ils veulent bien ne pas tirer à eux seuls toute la couverte, et nous laisser le droit d'être poètes canayens sans glorifier «le petit beu d'mon oncle Arthur»....

... Vous me parlez de cet abbé Charbonnier. Lauréat de l'Académie! (Où, quand, comment, pourquoi a-t-il eu ce titre?) Jean Charbonneau qui, lui, est réellement lauréat se propose de tirer cette histoire-là au clair. En tout cas, ce Charbonnier peut être maître chez lui, il ne le sera jamais en littérature. Il écrit comme un pied bot, et je lui casserais gaiement les reins pour avoir osé attaquer Jovette... Il faut avoir la foi rude et aveugle du Charbonnier pour croire au talent de la romanscie-ère Madame Ah! Bé! Lacerte qui accouche de ses romans dans la pétaudière de Garand. Ce Garand, il peut faire une belle œuvre pour les littérateurs du pays; il peut être leur Alphonse Lemierre, mais il lui faudrait un lecteur pour accepter ou refuser les œuvres à éditer. Qui sera son Anatole France??

J'espère que notre gentille Jovette ne prendra pas à cœur les élucubrations d'un critique imbécile, et qu'elle continuera à se perfectionner dans le genre de poésie qui lui réussit si bien et qui nous plaît tant.

... Vous me demandez des vers, et vous vous offrez généreusement à m'en dire tout le mal possible?! Hélas! la chose m'intéresse, mais, je n'ai guère de chefs-d'œuvre à faire épousseter. J'ai quelques vers chez «Charles Marchand» pour publication dans son Carillon. Je n'en ai pas même la copie ici. En fouillant bien, je retrouve des bouts de rondeaux, de ballades, d'odes et d'épîtres. Ça ne vaut guère la peine de vous faire lire cela. Enfin! si vous les voulez, les voilà, accompagnant cette interminable lettre! Je vous fais mes meilleurs vœux et vous invite à revenir et à écrire.

Bien à vous,

ÉMILE CODERRE

Montréal, 15 mai 1929

Mons. Alfred DesRochers
20, rue Georges
Sherbrooke

Mon cher poète,

J'ai reçu depuis une huitaine votre envoi de «Ma province aux noms exotiques». J'ai lu vos vers avec tant de plaisir et je les ai si fort admirés que j'aurais voulu avoir la force de vous écrire plus tôt.

Je vous félicite franchement, sans façon, sans détour, sans vains mots mon cher poète.

Mon cher DesRochers, j'ai (comme tous ceux du pays) rêvé depuis toujours de lire des vers du terroir canadien, c'est-à-dire des vers où je sentirais frémir toute mon âme en écoutant quelqu'un chanter justement comme vous chantez. Mon cher ami, appelez vos vers, des vers rudes et frustes tant que vous voudrez, ils ont la voix mâle et fière qui réveille en nous les souvenirs confus qu'ont laissés au fond de nos âmes nos aïeux bûcherons, trappeurs, cageux. Vos vers expriment d'une façon merveilleuse le fond même de notre âme canadienne. Tous, nous sommes de près ou de loin les fils de la forêt, de la savane et de la brousse. Nul d'entre nous ne peut remonter bien haut dans sa généalogie sans y trouver l'aïeul bûcheron, trappeur, fondateur de village ou de paroisse, cageux.

Nous gardons en nos âmes, avachies peut-être par le séjour des villes, la nostalgie des grands espaces et des vraies luttes. Et, c'est bien ce que vos vers chantent.

Mon ami, je voudrais que ma voix soit plus puissante pour crier à tous que vous avez enfin découvert *l'âme canadienne*[1]. Je ne désavoue pas les nobles efforts de nos amis communs dans cette voie. Mais j'affirme que ce que Ferland a pressenti, ce que Désilets et quelques autres ont parfois effleuré, vous, vous l'avez atteint... Et je vous remercie, mon ami, d'avoir fait tressaillir mon âme sceptique et depuis longtemps sourde d'un vrai frisson de patriotisme. Vrai frisson, en effet, puisqu'en vous lisant, je me suis senti plus que jamais fier d'être de ma race et que j'ai pleuré non pas de sensiblerie, mais d'émotion vraie et d'enthousiasme.

Je n'entreprendrai pas de disséquer tous vos vers pour en faire miroiter les brillantes facettes; encore moins voudrais-je vous accuser de négligences ou d'imperfections. Non! mais laissez-moi vous citer entre plusieurs une strophe dont les vers révèlent d'une façon frappante votre don de voir, de sentir, d'exprimer.

Relisez:

Mais quand le souvenir de l'épouse lointaine
Secouait brusquement les sites devant eux,
Du revers de leur manche, ils s'essuyaient les yeux
Et leur bouche entonnait: «À la claire fontaine».

Mon ami, ce n'est pas dans tous les recueils de vers de notre pays ou d'ailleurs que l'on rencontre bien souvent des images qui fixent aussi bien une impression. L'ouvrier qui sait créer pareille œuvre n'a plus à se demander s'il est poète.

Comme vous avez su l'exprimer cette vision du paysage à l'heure où les yeux s'embrument de larmes, à l'heure où l'émotion nous étreint l'âme.

---

1. C'est Coderre qui souligne.

De ces vers, mon ami, on en compte beaucoup dans votre œuvre et j'enrage de songer que pour plusieurs ils resteront incompris et inappréciés...

J'ai lu, relu encore et encore vos pages. Je n'ose les garder sans votre permission et n'ai pas le courage de vous les retourner sans votre demande.

Que vous dirais-je de moi? Peu de choses intéressantes. Je continue à végéter en attendant la santé! Je n'écris rien sauf ma «cuisine poétique» à la *Revue moderne*. J'essaie de toutes mes forces d'encourager ceux qui m'adressent des envois révélant quelque chose. Je sais combien il est cruel de briser des illusions et des rêves. Je me penche avec mansuétude sur ce que j'appellerai avec bonhomie et sans malice les mélodies secrètes qu'on me communique... Et ceci me rappelle un terrible jeu de mots que je fis un soir à l'ami Plamondon. Nous étions en compagnie de nos épouses à un «dancing» quelconque au mont Royal, je crois. Plamondon admirait l'orchestre dont les airs lascifs grisaient les danseurs et danseuses. Ce sont, remarquai-je, des mélodies... vénériennes!

... Enfin, je vous laisse sur ce rare mot d'esprit! En vous souhaitant le succès et mille autres bonnes choses.

Votre fidèle.

ÉMILE CODERRE

Montréal, 13 mars 1930

Monsieur Alfred DesRochers
22, rue Georges
Sherbrooke

Mon cher «habitant du six»,

Bravo! trois fois bravo et bravissimo pour votre réponse à Lectrice dans *La Tribune* du 11 courant. Je voudrais avoir deux planches à repasser en guise de mains pour applaudir plus fort. Votre article est rudement tapé et si au point. J'y vois la suite de notre conversation de l'autre samedi quand vous êtes venu ici. Je n'ai qu'un regret, c'est de penser que ce m. facteur ne m'a pas livré le premier article dont vous m'avez parlé.

Je suis heureux de vous voir mettre au point et à sa place notre fameuse «élite». Pour moi, l'élite, la véritable, celle qui, comme vous le dites, fut cause de la «Survivance», c'est bien la classe des habitants. C'est clair comme de l'eau de source que tous ceux qui sont quelqu'un et quelque chose dans tous les domaines dans notre province sont, presque sans exception, des fils d'habitant. Tandis que les fils de «l'élite» usent des fessiers de culottes sur les bancs du collège avant de devenir «fils à papa» à l'université et «entretenus» par quelque donzelle du «red light», le fils de «l'habitant du six» fait de solides études, entre à l'université, gagne ses cours au bureau de poste ou ailleurs et devient quelqu'un dans le pays. Pour un fils de la soi-disant élite qui réussit à émerger, je vous en nommerai cinquante issus du sixième rang qui sont devenus la véritable élite. Dites-moi si j'ai tort!...

Pour ce qui a trait à la langue française, je vous avouerai que je vois d'un assez mauvais œil les puristes à outrance du genre abbé Blanchard, Massé et Ligue du bon parler. Ils sont en train de décolorer, d'émasculer notre bon parler pittoresque. Hier encore, L. P. Geoffrion discutait dans *La Presse* de la correction de notre expression: «une terre à bois». Paraîtrait que ce n'est pas français! J'avoue que j'ai rarement, d'ailleurs, entendu une «terre à bois», mais bien souvent «une terre en bois» ou ce que je trouve encore plus pittoresque et plus descriptif: «une terre en bois debout», avec accent sur le «boutt». Je défie tous les linguistes et les académiciens des deux France de me trouver une expression qui remplacerait celle de notre bon public. Nous avons créé des mots et des expressions qui ne devraient pas êre mises au rancart, surtout dans le roman, la poésie de genre et le langage courant. Je sais que je parle mal le français de «l'élite», moi qui ai fait le classique cours classique. Je veux me corriger, mais jamais au point de ne plus employer nos bons vieux mots. Au contraire, quand je les entends, j'en prends note dès qu'ils ne sont pas des anglicismes. Est-ce que, par exemple, l'habitant qui dit un «charron» pour désigner un voiturier, ou un «banneau» au lieu d'une «express», d'une «waggine» ou d'un tombereau est à blâmer? Faut-il faire un crime aux gens de Beauce de dire d'un homme qu'il est «limoneux» quand il est lambin? Ce «limoneux», mais cela tient à l'histoire de la région! Avant la construction du «Québec Central», les Beaucerons se rendaient en voiture à Québec par des routes où la marche était ralentie à l'excès par la boue, le «limon». L'étymologie de «limoneux» et du verbe «limoner» me semble claire. Je vous soumets l'hypothèse pour ce qu'elle vaut! Tous ces mots pittoresques ne devraient pas mourir, ils sont plus que des mots français, ils sont des mots canadiens habillés en étoffe du pays. — (Jean Narrache) —

- - - - - - - - -

J'ai reçu, et avec quel plaisir, vos ballades autographiées sur ce beau papier marbré dont vous m'envoyez plusieurs feuilles. Je vous en remercie énormément. J'ai encadré votre ballade «Vive la rime» dans un cadre de fortune en attendant que je descende en ville. Vous m'offrez de calligraphier n'importe quelle de vos pièces! Imprudent! Si je n'en demande pas d'autres, c'est par esprit de modération. J'encadrerais tous vos vers si ma femme n'insistait pas pour que je lui laisse de l'espace pour suspendre ses miroirs. Vous m'envoyiez «L'arrivée des bûcherons»? Eh bien! ils sont bien tous un peu pareils, ces bûcherons! Partis de Sherbrooke depuis une huitaine, ils ne sont pas encore arrivés. J'ai beau envoyer ma sœur Anne au plus haut de la tour, elle ne voit encore rien venir!...

Votre court billet me dit que vous êtes fort occupé, et je prends mon mal en patience!... Je compte commencer à m'occuper au début d'avril. Ce qui ne m'empêchera pas, je l'espère, d'assister à la réunion des poètes à Québec vers le 7 ou le 9 avril. Désilets qui est venu ici vendredi dernier m'a parlé de cette réunion où je vous verrai, je l'espère.

Dimanche, j'ai eu la visite de ce bon Germain Beaulieu. Je vous assure que nous avons parlé de vous, et vous pouvez croire que ce n'était pas pour vous casser du sucre sur la tête. Pour lui, pour Désilets, pour moi, vous êtes, sans vaines phrases, notre maître à tous. Je dis mal ce que je ressens, en dépit des vers de Boileau, mais soyez sûr que vous n'avez pas de plus sincère admirateur que moi...

... Je mûris mon «Dollard» lentement; j'essaie quelques rimes, et je me «bourre» de mon sujet avec la foi qu'au temps venu, tout va jaillir. J'étudie le père Hugo de la «Légende» pour me faire l'oreille, et je m'applique à simplifier autant que faire se peut mes idées. Le grand échec dans le drame en vers, c'est la surabondance de vers qui ne sont que des chevilles en prose rimée. J'avoue qu'il est impossible d'être sublime à jet continu pendant trois ou quatre mille vers!

Vous reconnaîtrez que la santé m'est revenue puisque je ne me décourage pas de m'être embarqué dans pareille galère... Je suis prêt à fabriquer les trente mille vers que vous me conseillez et d'en extraire ensuite les bons. S'il y en a 10 p. cent, ce sera une vraie réussite, ou à peu près. Dans ma piécette *Oh! ces artistes!*, il y a environ huit cents vers qui sont de moi. Y en a-t-il quatre-vingts de bons? J'ose le croire!

Je vous envie votre verve, mon cher ami! Je sais que je ne serai jamais digne de vous approcher dans le domaine des lettres. Mais cela ne m'empêche pas, bien au contraire, de vous admirer. D'ailleurs, la chose m'est facile, puisque vous vous donnez le trouble de saluer au passage les quelques bons vers que je fais par hasard!

... Et je vous serre la main un peu à la hâte pour que cette lettre parte aujourd'hui.

É. Coderre

Montréal, 5 décembre 1930

Monsieur Alfred DesRochers
20, rue Georges
Sherbrooke

Mon cher DesRochers,

J'ai reçu hier votre gigantesque numéro de *La Tribune* du 29 novembre. Pour un numéro, c'en est un «rôdeux», et je vous en félicite. Et cela bien sincèrement, croyez-le bien. En le parcourant, j'ai pu réaliser un peu la somme de travail que pareille publication peut représenter. La magnifique publicité si bien présentée et dans une si belle tenue me dit bien éloquemment tout le trouble que vous, personnellement, vous êtes donné. Vous avez raison d'être content de votre œuvre. J'ai lu avec plaisir vos vers que je connaissais déjà et les vers de nos amis et amies, de même que les bons articles de Dantin, entre autres. En passant, Dantin m'a l'air tout englué d'Alice Lemieux. Tant mieux s'il a raison! Je n'ai pas encore lu ses vers — quant à «La chanson des îles» de l'ami Plamondon, je trouve que ce n'est pas le loup. Il a déjà fait mieux, il me semble. C'est, du reste, ce que je lui ai dit quand il m'a montré ce chef-d'œuvre peu de temps avant de l'adresser au journal…

Tout votre numéro est intéressant, même pour un étranger. J'y remarque partout une retenue, un sens de dignité, une absence de jaunisme, toutes choses inconnues à notre gargantuesque *Presse* pour laquelle j'ai les sentiments que vous savez! Ah! si Rabelais écrivait *Pantagruel* aujourd'hui, le chapitre de la recherche des Torche-C... finirait par une réclame pour *La Presse*...

... Enfin votre numéro étant fini, vous allez respirer à l'aise maintenant, je suppose. Son arrivée chez moi m'a expliqué la raison de votre mutisme et j'ai très bien compris.

Un bon jour, je puis me flatter de vous lire maintenant!... Vous avez eu mon premier essai d'une «Méditation sur la mort»? Est-ce que ça vaut quelque chose cela? Lévesque m'éditerait, paraît-il, en février... si la peur ne le prend pas! J'ai huit cents vers de présentables sur un ensemble de près de mille, ce qui formerait — si je n'ajoute rien — environ quatre-vingt-dix pages de texte. Vers le 15 décembre, c'est-à-dire, quand je serai à peu près en vacances, je vais me louer un clavigraphe et tout recopier au propre, comme on dit au collège. J'aurai trois ou quatre dessins à faire au noir. C'est ça qui m'embête le plus!...

Je guette la poste; Lévesque devait m'envoyer *À l'ombre de l'Orford* bientôt. Je vais pouvoir non seulement vous lire en bouquin, mais être sûr aussi que votre précieuse plaquette de l'an passé ne sortira plus de ma bibliothèque. Je tiens à la conserver, et je passe pour un malamain (ou «mal à main») de ne pas vouloir la laisser sortir de la maison.

... J'ai peu de nouveau à vous apprendre. J'écrivaille un peu, comme vous avez vu par mes derniers envois. Je Jean-Narrachise un peu pour varier et grossir le futur recueil. Lévesque, ne me laissant pas mon franc-parler, me paralyse un peu. Il me semble que je pourrais dire en vers une foule de choses qui ne sont pas plus subversives que les «pointes» lancées par Bourgeois dans Ladébauche. Et puis, s'il craint de publier sous l'égide de l'Action C.F. il n'a qu'à ne pas le faire. Il peut éditer sans nom d'éditeur ou sous un nom de convention, comme Le Mercure fit pour les *Joyeux propos* de Régis Roy. Si je n'avais pas le désir de me débarrasser des ennuis d'une édition, je publierais moi-même, comme pour mon premier livre. Mais, n'étant pas aussi bon vendeur que Françoise et ne sachant pas vanter ma propre marchandise, ceci m'assommerait.

... Enfin! enfin! je vous rase!... Je vous enverrai sous peu ma «Méditation sur la mort» remise en ordre. Il va sans dire que les vers de Jean Narrache contiennent une foule de pensées qui sont du domaine public, si on peut dire. Quelques-unes ont pour origine une pensée philosophique quelque peu déformée dans son expression. Il m'est assez difficile de citer dans les vers d'un ignorant les philosophes qui ont pu m'inspirer. Ainsi, la strophe qui sera la finale de ma méditation:

> Ça sert à rien d'fair' du tapage
> Rich, pauvr', faut finir par finir,
> Vu qu'la vie, — gn'a pas d'tortillage, —
> C'est l'temps qu'ça nous prend à mourir...

Ça, ça vient de Francis Bacon: «*The life of man is little more than a preparation and discipline for death...*» D'ailleurs, Platon, Socrate, Aristote, Schopenhauer, Nietzsche et autres se retrouveraient à travers mes vers. M'en fera-t-on un crime au point de vue littéraire?

Je m'étonne de voir l'ami Lévesque si scrupuleux quand je parle des riches et des arrivés. Si je comprends bien les gens de mon bon populo, cette vue des riches, tout en leur inspirant le regret de n'être pas aussi favorisés, ne les conduit pas à l'envie haineuse ou destructive. Notre peuple est résigné, il se croit né pour un petit pain, et si parfois même, il se monte un peu, c'est en paroles seulement. Je constate ceci en passant sans l'admirer. Mais, c'est cela. Cette inertie est bien de notre race, et à cela se mêle le gros bon sens qui dit: «À quoi bon s'insurger?»... Pour plaire à Lévesque, il me faudra couper certaines strophes, et cela me déplaît énormément. Là, je reviens toujours sur le même sujet! Et je vous assomme. Vaut mieux que je me sauve!

Vale,

ÉMILE CODERRE

Montréal, 28 novembre 1932

Monsieur Alfred DesRochers
20, rue Georges,
Sherbrooke

Mon cher DesRochers,

Une bonne lettre comme vous venez de m'en adresser une, accompagnée d'un si bel «À propos», mériterait une réponse bien supérieure à celle que je vais vous écrire aujourd'hui. D'abord, parlons de vous un peu, de vous dont je vois (avec un peu d'effacement) les activités se tourner vers des sciences revêches et profondes dont je ne connais guère que les noms. Ce qui me rassure, c'est que vous connaissant bien, je puis affirmer que vous continuerez toujours à garder votre esprit clair, votre sens du... bon sens et des proportions! Je le vois déjà en cela que vous avez remarqué que c'est le travail «d'expert» qui est le mieux récompensé... parce que cela ne produit rien! J'ai vécu entouré d'experts de tous genres, et j'y vis encore! Ainsi, mon gérant de bureau était un expert vendeur, un *star salesman*. Au lieu de le payer en conséquence et de profiter de ses capacités, on l'a bombardé gérant, il y a une huitaine d'années. Et que fait-il? Il nous écrit des lettres en mauvais anglais, il barbote dans des myriades de colonnes de chiffres et de statistiques qui ne nous feront jamais vendre un gallon de peinture de plus... Il me semble que dès qu'un homme excelle en quelque chose, on s'empresse de l'installer ailleurs! En pharmacie, c'est un peu la même chose. Pour ma part, j'ai lavé des bouteilles, rincé des mesures, rempli des ordonnances jusqu'au jour où un certificat affirma aux générations présentes et futures que j'étais expert en la matière. À partir de ce moment, et tant que je demeurai dans ma profession, je ne fis plus rien de ce que j'avais appris; j'avais des commis pour faire ce travail, tandis que je discutais avec les voyageurs sur l'opportunité d'acheter des *bargains* de *cold cream* ou de papier de toilette à 20 p. 100 d'escompte! J'étais devenu une espèce d'*efficiency expert*!! Et je me rappelle la boutade du vieux comptable auquel un expert reprochait de ne pas suivre les méthodes de l'efficience: «C'est bien beau tout ça, mais il faut bien quelqu'un qui fasse l'ouvrage.»...

... Vous me parlez que vous ne travaillerez bientôt que par quinzaine? Moi, j'ai peur de ne plus travailler du tout après les fêtes! Actuellement, je ne gagne pas les dépenses que mes employeurs font pour moi. Je sens que le coup va venir bientôt, et comme je ne veux pas que ma femme s'en préoccupe d'avance, je dépense follement, éperdument tout ce que je gagne. Nous dansons sur le classique volcan!! et j'aime mieux ne pas penser au déluge qui, lui, ne viendra pas seulement après nous!... À quoi bon! Dieu y pourvoira, je suppose... Tournons-nous vers la littérature, et nous aurons une chance de mourir en pleines phrases!

J'ai lu avec plaisir et intérêt ce que vous me dites de «Claquemurée» et les suggestions que vous me faites. Je vous avoue qu'il y a longtemps que je n'avais pas jeté les yeux sur mon manuscrit. Je me suis «éparpillé» sur mille choses depuis trois ou quatre mois, vous le savez. Je me remettrai quelque bon jour à la tâche, et je suivrai vos conseils surtout pour ce qui a trait au «couvent».

... L'«À-propos» que vous faites sur Jean Narrache est bien le plus profond et le mieux fouillé que j'aie lu! La place que vous voulez bien m'assigner dans la littérature est si haute que je ne m'étais toujours contenté que de l'envier sans espérer jamais l'obtenir. J'essaierai de la mériter maintenant!... Je vois qu'ici comme ailleurs vous avez gardé le sens des proportions et le sens du bon sens. Voyant que j'avais tenté de faire vivre un type, le type de l'ouvrier et en général du «taxé» canayen, vous avez comparé la réalité à ce que j'ai écrit. Vous avez compris (ce qui ne me surprend pas de vous) que mon héros pour être vrai devait autant que possible être semblable au type étudié. Je n'ai pas pris le type que Bruant ou Rictus ont illustré. Jean Bruchési est libre de le préférer au mien, c'est son affaire. Bruant et Rictus ont illustré ce qu'ils ont vu, et moi, j'ai fait de même ici. D'ailleurs en passant, je crois pouvoir dire que Bruchési n'a guère lu Rictus ou Bruant. Pour ma part, j'ai lu, de Rictus, les deux livres que je vous ai prêtés. Quant à Bruant, je n'en ai jamais lu cinquante vers! C'est vrai, mais en revanche, depuis toujours j'ai observé les pauvres diables sur place. Comme beaucoup de mes contemporains d'il y a dix ans, je n'ai pas tout de suite trouvé cette chose bien simple pourtant que pour être vrai et sincère en littérature, il faut exprimer ses sentiments et sa pensée tels qu'ils sont. Mon premier livre, ces pauvres *Signes sur le sable*, sont Jean Narrache habillé d'oripeaux littéraires. Si vous vous en donniez la peine, vous pourriez en comparant retrouver presque page pour page la même idée en deux styles différents... Mais j'avais un peu plus de vingt ans quand j'écrivis les premiers vers que j'ai publiés... Je n'avais pas, comme on dit, trouvé ma voie.

Par quel processus le romantisme des *Signes sur le sable* est-il devenu le réalisme cru de *Quand j'parl' tout seul*? D'abord, j'ai vieilli, l'expérience m'a mûri à mon insu peut-être. Et puis, après les secousses de ma vie triste d'orphelin et d'étudiant pauvre vinrent les jours heureux auprès de la femme aimée. Le fond de mélancolie amassé par ma vie antérieure ne trouvait plus débouché logique. Je ne voulais pas chanter mes peines passées; je ne pouvais pas chanter mes peines présentes, puisque je n'en ai pas. Alors, j'ai regardé passer la vie autour de moi, et toutes mes pitiés et mes attendrissements pour les déshérités (pitiés et attendrissements que je retrouve dans mes journaux d'il y a vingt et même vingt-cinq ans), mes rancœurs, mes élans de dégoût et d'ironie en face de la société me sont revenus présents au cœur. Et tout cela a fait explosion et de là a jailli Jean Narrache! Tout cela fut inconscient évidemment. Aujourd'hui, je remonte cette filière comme parfois on s'amuse à remonter le cours de ses idées pour voir d'où l'on est parti pour en arriver à l'idée actuelle qui nous occupe. Je serais peut-être plus intéressant, à première vue, si je vous disais que depuis mes premiers ans j'ai rêvé d'être le poète des gueux, mais je serais un joli menteur! Non! mon livre est la conclusion logique d'observations faites pourtant sans but préconçu. J'étais, je suppose, disposé, ou mieux, prédisposé à cela. J'ai vécu en contact avec le peuple, et les impressions reçues de lui se sont accumulées à mon insu. Non! Je n'ai pas créé Jean Narrache! Il existait avant moi. Vous l'avez frôlé un peu partout à travers votre vie comme tous les autres. Il vous est apparu un peu partout dans les rues, au théâtre, à l'église, dans toutes les circonstances de la vie. Je l'ai rencontré moi aussi, et dans les endroits les plus étonnants. Je l'ai vu un soir, le croirez-vous? sous la défroque du Charlie Chaplin de *City Lights*!! Vous allez dire que je perds la tête, mais je ne me suis jamais senti plus touché jusqu'aux larmes de l'émotion qu'en face du pauvre «tramp» personnifié par Chaplin quand celui-ci retrouve la jeune aveugle guérie et refuse jusqu'à ce que tout le trahisse d'avouer que c'est lui qui l'a fait soigner, que c'est lui qui l'aime. J'ai vu passer sur la face du «tramp» je ne sais quelle expression inexprimable avec des mots. Et quand le pauvre gueux s'est éloigné en

..portant une fleur broyée sous le talon d'un passant, ,'ai vu passer Jean Narrache dans une de ses heures tristes... Je l'ai vu trop souvent triste, et c'est, je l'avoue, le défaut capital de mon livre. J'ai oublié parfois que je n'étais que l'historien ou le reporter, et j'ai fait des commentaires! C'est ce que me reprochent Pelletier et Dantin. Cependant, je plaide un peu: il me semble que sous la rude écorce du simple gueux, il y a souvent sinon toujours un cœur sensible capable des sentiments et des mélancolies confuses que je lui ai attribués...

Le 15 décembre prochain, je suis condamné à une causerie à un déjeuner de la Ligue de la jeunesse féminine. Cette ligue est formée de la fine fleur des jeunes péronnelles de notre société montréalaise; c'est la fille du juge Boyer qui présidera! On m'a demandé textuellement «de faire connaître la source d'inspiration de Jean Narrache» (!). Elles sont «anxieuses de savoir comment il en est venu à écrire» — Rien que cela! Tordez-vous de rire, mon cher! Je ne sais ce que je leur dirai à ces jolies «hanteuses» des bals de charité; à ces charmantes vendeuses de «p'tit's fleurs de guénille», mais ce sera, n'en doutez pas, des choses éternelles!!! Que voulez-vous, faut soigner la publicité de l'ami Lévesque qui vient de lancer le troisième mille!...

... Jeudi soir dernier, j'étais allé à Nicolet visiter mon «Alma mater» dans le but bien utilitaire de fournir au procureur la peinture nécessaire au toit du collège. Je lui en avais vendu il y a une huitaine d'années. Or, ce soir-là, il y avait séance intime en l'honneur de sainte Cécile et sainte Catherine. Je fus invité à y assister. J'acceptai sans cérémonie et... sans méfiance! Et une fois entré dans la salle on me fit un potin de tous les diables. Applaudissements frénétiques dès mon entrée; installation au fauteuil d'honneur. Sur le théâtre, un «finissant» costumé en ouvrier est venu réciter dans un décor approprié quelques pièces de Jean Narrache, entre autres: «Notre fête nationale» et «Méditations sur la mort» (!!). (Et l'on ne s'attendait pas à ma visite!) Enfin, dernière fusée, le préfet des études s'embarqua dans un grand discours pour dire à tous les élèves que je couvrais mon collège de gloire!! (Pour moi, je ne l'ai jamais couvert que de peintures, et c'est ce que je leur ai dit en réponse!!) Il me fallut évidemment répondre à tout cela à l'impromptu. J'ai cru répondre au désir non formulé du préfet des études en recommandant aux poètes en herbe qui pouvaient m'entendre de ne pas imiter ma grammaire, ma syntaxe et mon style. Je leur ai dit cependant de s'inspirer de la vie réelle, de s'inspirer de notre vie canadienne et d'aspirer à être des poètes en étoffe du pays comme Alfred DesRochers. C'est, du reste, la seule chose sensée que j'ai dite ce soir-là...

Et voilà dans quel tourbillon je vis! Vendredi soir, je suis arrivé ici harassé pour apprendre que mes *Trois mousquetaires* reprenaient leur série dès dimanche (avant-hier) et qu'il fallait que ma continuité fut faite pour samedi à 10 heures du matin. Ce sera jusqu'à nouvel ordre le dimanche, de 2 h 30 à 3 h que ce programme sera donné. L'important pour moi, c'est que cela veut dire dix dollars de plus par semaine!!

Maintenant, j'ai plus qu'assez bavardé; je vais filer. Ma femme me prie de dire à la vôtre qu'elle n'a pas oublié certain gilet tricoté qu'elle a promis. Seulement, comme elle s'est presque coupé un doigt jusqu'à l'os, force lui est de remettre à quelques jours encore le tricot.

Présentez nos amitiés à madame, aussi.

Je vous enverrai peut-être sous peu la prière de Jean Narrache à saint Antoine de Padoue!

ÉMILE CODERRE

❑

Quelques vers, au hasard, de la Prière à saint Antoine de Padoue:

Mais, vu qu'y'a rien qu'la p'tit' lumière
Du sanctuair' qu'éclair' dans l'chœur,
J'pourrai pas vous lir' des prières:
J'vais vous parler avec mon cœur.......

Mais, voyez-vous, la chos' d'l'affaire
Qui m'gêne et qui m'en bouche un coin,
C'est que j'fais ben mieux mes prières
Quand j'm'aperçois qu'j'suis dans l'besoin.........

J'vous dis ça dans l'tuyau d'l'oreille:
Mon p'tit gâs c'est un bon chréquin,
J'prierai l'bon yieu avec ma vieille
Pour qu'lui 'ssi fasse un franciscain........

Jean Narrache

P.-S. Mon futur livre, s'il existe un jour, s'appellera-t-il: *J'parl' pour parler*, comme je l'avais pensé, ou bien: *Quand j'me promèn'!* comme l'annonce déjà (!) à ses amis l'Honorable Athanase David qui me suggéra ce titre, l'autre jour?

J. N.

Deux critiques
(1929)

L'offrande aux vierges folles

S'il nous fallait prendre au pied de la lettre les affirmations, bien intentionnées d'ailleurs, de certains «appréciateurs» qui se chargent de saluer les nouveau-nés littéraires, nous en arriverions à une bien triste conclusion. En effet, on ne semble pas pouvoir juger un de nos poètes sans l'affubler d'un tuteur littéraire français. Ainsi, Paul Morin n'écrit pas comme Paul Morin, mais comme tel ou tel poète français. Robert Choquette n'écrit pas comme lui-même, mais comme un autre, etc. Faudrait-il en conclure que notre république des lettres n'est composée que de doublures, de vice-Rostand, de sous-Louis Mercier et de pseudo-comtesse de Noailles? Je m'inscris en faux contre cette façon qui tend à faire croire que nos écrivains n'ont pas leur personnalité, leurs qualités... et leurs défauts propres, bien à eux. Accusez-moi de chauvinisme tant que vous voudrez, je persiste à dire qu'Alphonse Désilets écrit comme... Alphonse Désilets, Jean Charbonneau comme Jean Charbonneau, Robert Choquette comme Robert Choquette, et que notre ami Alfred DesRochers fait des vers admirablement bien... comme Alfred DesRochers. En effet, l'auteur de *L'offrande aux vierges folles* a une personnalité trop forte et trop originale pour que je sente le besoin de le classer sous l'égide de quelque maître français. C'est un peu ma manière de complimenter un jeune poète que de lui affirmer que ses vers ne sont pas des réminiscences livresques. D'ailleurs, à ceux qui ne seraient pas convaincus, je conseille de rapprocher les vers d'Alfred DesRochers de ceux de ses maîtres. Ils remarqueront que s'il suit leurs leçons, il n'oublie jamais de frapper chacun de ses vers à son propre coin. Par exemple, tandis que de Banville jongle avec les mots et n'a pas d'âme; tandis que Leconte de Lisle, (sauf peut-être dans son *Midi, roi des étés*) demeure impassible, notre ami DesRochers tout en jonglant avec les mots, tout en haïssant comme Baudelaire «le mouvement qui déplace les lignes», ne cesse de laisser transparaître à travers ses vers une âme très haute, très fière et infiniment délicate.

Au lieu de nous montrer son âme et d'avoir l'air de nous dire: «Là, voyez combien je souffre», il nous dit ses espoirs, ses regrets, ses déceptions, ses victoires, en les enveloppant de lointains symboles, en assujettissant ses soupirs aux rythmes des beaux vers. Toute son âme s'enveloppe de poésie éclatante comme l'épouse se drape dans son voile de tulle blanc.

Une de ses pièces, d'ailleurs, proclame cette pudeur:

> Je hais la douleur qu'on expose
> Toute nue au peuple brutal… etc.

Il n'a pas cependant honte de la douleur, il ne la cache pas sous un masque d'hypocrisie. Ce n'est pas lui qui dirait comme Jean Cocteau:

> La douleur nous fait honte en nous prenant pour cible;
> Cherchons le mot qui trompe et le regard qui ment;
> Le sanglot doit se perdre en un ricanement
> Et le cerveau bondir sous un front impassible…

Lisez au contraire *La plainte de la Danaïde*. Vous en saisirez le symbole profond, et vous refermerez le livre avec des yeux humides. Tout un infini de tristesse, de déception, d'enthousiasmes suivis de prostrations se devine sous le grand symbole de la Danaïde plaintive, révoltée, si lasse de souffrir qu'elle n'ose même plus tenter le geste qui serait peut-être libérateur.

Vous aurez lu là une des plus belles pièces à placer dans une anthologie canadienne. (Je parle d'une anthologie qui ne serait pas publiée par deux journalistes pince-sans-rire ou par un charlatan littéraire d'outre-Atlantique). — (Tels furent, en effet, les compilateurs de nos deux plus récentes collections de poésies choisies).

Toutefois, si Alfred DesRochers n'affiche pas son âme, n'allez pas croire qu'il en réprime les mouvements. Bien au contraire! Avec un art prodigieux quasi inconnu de nos poètes, il sait faire passer dans ses vers une émotion intense, faite de sanglots, d'élans d'amour, de souvenirs mélancoliques comprimés dans son cœur, et que le rythme du vers plutôt que les mots peut nous révéler.

Tout le livre de DesRochers atteste d'une belle santé morale. L'amour n'est pas cynique; il n'est pas pleurnichard, non plus!

Les symboles dont l'ami DesRochers enveloppe ses pensées n'ont pas l'obscurité verlainienne ou mallarméenne qui ont tant fait divaguer les critiques en mal de jouer aux devins ou aux psychologues profonds.

Est-ce Talleyrand qui disait: «Donnez-moi deux lignes écrites par quelqu'un, et je le ferai pendre!»? Hélas! bien souvent l'appréciateur le mieux intentionné «pend» son homme au nom d'une école à laquelle sa victime n'a jamais songé à s'affilier! Faudrait-il dire, en paraphrasant le même Talleyrand, que la parole fut donnée aux appréciateurs pour déguiser la pensée des auteurs?

Je renoncerais à ma part de paradis (fort hypothéquée, d'ailleurs!) plutôt que de me risquer à étiqueter notre ami DesRochers du titre de parnassien, romantique, symboliste, etc., etc. Si j'allais le caser dans une école qu'il n'aime pas, qu'il abhorre et n'a jamais eu l'idée de suivre!!

Des critiques influents s'en chargeront, je le crains, et mon ami s'en ira à travers la vie traînant l'épithète décernée avec un contentement égal à celui du chien qui fuit dans la rue, une casserole attachée à la queue!

Je préfère vous dire que DesRochers est de sa propre école; que c'est un admirable musicien en vers doué d'une intensité et d'une profondeur de pensée merveilleuse. Il est jeune; c'est un travailleur consciencieux auquel les louanges ne tournent pas la tête. Je sais que sa langue déjà souple, déjà claire, déjà riche deviendra de plus en plus fluide, cristalline et variée. Il possède en effet un vocabulaire à rendre jaloux ceux qui, plus longtemps que lui, ont réchauffé des bancs de collège. Pensez qu'il connaît nos arbres, nos fleurs, nos oiseaux par leurs noms!

Maintenant, une indiscrétion. Alfred DesRochers ne vous a pas fait entendre toute la lyre comme dirait le bonhomme Hugo. Il possède dans ses cartons plus de vers que n'en contient son livret.

Espérez, souhaitez avec moi qu'il veuille bien mettre au jour une foule de ses ballades dignes de rendre jaloux maître François Villon, son meilleur maître... Et puis que d'autres vers à offrir aux Vierges folles, ces Suzannes que nous, les vieillards, prenons un plaisir pervers à lorgner!

La Tribune, 9 janvier 1929

À l'ombre de l'Orford

Le nouveau recueil de vers d'Alfred DesRochers nous révèle son auteur dans une attitude bien différente à plusieurs points de vue de celle où il nous apparut, l'an dernier, dans son *Offrande aux vierges folles.* Cependant, tout en s'inspirant du terroir, DesRochers affirme aussi fortement sa personnalité qu'il l'avait fait dans son premier recueil. Homme d'action avant tout, peu porté aux rêvasseries inutiles, aux maniérismes de commande, il a réalisé que, dans notre pays, nous avions parmi les poètes «tout courts» ou les poètes «terroirisants», beaucoup trop de «pâtissiers littéraires» qui nous gavent de tartelettes et de sucreries, tandis que notre amour du pays se meurt d'inanition faute d'aliments plus substantiels. À l'exemple des Désilets et des Damase Potvin, il a écouté monter de son cœur la voix lointaine des ancêtres. Mais, en suivant la voie indiquée par les devanciers, DesRochers a voulu innover et marquer son œuvre à son propre coin. Tout en racontant et en glorifiant la noblesse et la grandeur simple du travail de la terre, il n'a pas voulu nous en cacher la rudesse, les fatigues, presque les déboires. Ce n'est pas après l'avoir lu que vous serez portés à confondre la vie du paysan avec celle des bergers et des bergères qu'ont chanté certains de nos poètes plus épris des souvenirs de Ronsard ou de Florian que de la vérité. Comme le dit son préfacier: «À travers son pays, il va, sans cesse ému de la grandeur des choses». DesRochers nous raconte ce qu'il a vu, ce qu'il a vécu, lui qui a manié la hache et la «cantouque», lui qui connaît la terre. Trop de poètes citadins de cœur et d'éducation ont tenté de chanter le terroir et l'ont fait «de chic» en nuisant à la cause qu'ils prétendaient épouser. Ils ressemblent en cela à certaines gens qui «font de la colonisation» confortablement assis dans les wagons-buffet et le cigare aux lèvres!

DesRochers a gardé un souvenir ému de sa vie de jadis, et ce souvenir se mêle dans son âme à ce que ses ancêtres y ont laissé de nostalgie pour les luttes du passé avec le bois, avec le froid, avec toute la nature sauvage. Il nous a dit, dès le début:

> Je suis un fils déchu de race surhumaine,
> Race de violents, de forts, de hasardeux,
> Et j'ai le mal du pays neuf, que je tiens d'eux,
> Quand viennent les jours gris que septembre ramène.

Et c'est si pieusement et si intensément qu'il s'incline sur ce passé des vieux qu'il repasse lui-même par les mêmes joies, les mêmes espoirs, les mêmes émotions. Avec quel bonheur d'expression, il sait peindre la nostalgie qui parfois faisait monter une larme furtive aux yeux des aventuriers de jadis, larme aussitôt étouffée par une chanson!

> Mais quand le souvenir de l'épouse lointaine
> Secouait brusquement les sites devant eux,
> Du revers de leur manche, ils s'essuyaient les yeux
> Et leur bouche entonnait: «À la claire fontaine».

Il y a tout un drame dans ces quatre vers merveilleux!

À part Chapman qui «fit chantier» sur un rond-de-cuir à Ottawa, bien peu de poètes ont évoqué les bûcherons. DesRochers, dans «La naissance de la Chanson», va nous en raconter l'odyssée en quatorze sonnets. Ces «shantymen» de nos jours apparaîtront à première vue moins pittoresques peut-être que ceux qu'a grandis et déformés la légende. Mais comme ils sont plus réels, plus vivants! Avec un juste réalisme, DesRochers nous les présente ni meilleurs ni pires qu'ils ne sont. Ils effraieront, sans doute, les lecteurs et lectrices assidus des courriers de «Ma Tante Ti-Ti» et de «Ma Tante Ta-Ta» qui étaient à pleines pages leurs inanités dans nos magazines. Je l'admets. Mais, au risque de faire scandale, j'affirmerai que ces braves rustauds au langage parfois haut en couleur, à la soif un peu trop prononcée peut-être pour certains liquides variés, ont plus «l'étoffe» des bâtisseurs de pays que les «dilettantis» et les romantiques qu'ils pourraient offusquer. Où leurs devanciers ont passé se dressent aujourd'hui des villes prospères; demain, où eux-mêmes auront passé s'élèveront des villages à l'ombre d'une église. Le geste de bûcheron, celui du laboureur sont plus importants pour la vie et l'avenir du pays que tous nos gestes plus élégants de manieurs de cannes et de brandisseurs de plume! Et quel noble cœur bat sous leur rustique écorce et quelle foi profonde!...

DesRochers ne nous campe pas ses «hommes» en beauté, il ne les statufie pas, il ne les fige pas dans des attitudes aussi héroïques qu'invraisemblables. Mais, lisez, par exemple, en page 20: «L'arrivée au chantier». C'est vivant, c'est vu, c'est vécu:

> On a marché longtemps, des milles; et voici
> Que le soleil disperse une clarté moins chaude;
> Car l'ombre d'une nuit sans lune déjà rôde,
> Par deçà l'horizon de l'est qu'elle étrécit.
>
> On approche. Le frêne au feuillage éclairci
> Remplace le sapin le long de la «totrôde».
> La sueur a bouffi la figure rougeaude
> Des hommes harassés dont le pas s'accourcit.
>
> Enfin, on aperçoit le camp dans la clairière,
> Avec son filet droit de fumée à l'arrière,
> Parmi le tournoiement des feuilles en langueur;

Et pendant qu'on avance, à travers les arbustes,
Pour montrer qu'on arrive encor plein de vigueur,
D'un accord instinctif se cambrent tous les bustes.

Et poète qui a compris jusque dans ses détails infimes la grande poésie de cette vie rude en face de la nature, son dernier sonnet nous dit sa nostalgie:

J'ai tenté d'évoquer le spectacle et le site
Dont s'inspira jadis la chanson que je cite
Et que dans les chantiers j'ai chantée autrefois:

Comme ce compagnon d'antan, qui, dans ses veilles,
Ancien navigateur échoué dans les bois,
S'amusait à bâtir des trois-mâts — en bouteilles.

Plus loin, DesRochers nous ramène à la ferme, à la vie de la terre. Chacun de ses sonnets est un véritable petit tableau d'une scène prise sur le vif, décrite avec l'exactitude et la conscience artistique d'un dessin dû à la plume d'un Henri-Julien. Avec un souci rare de la vérité, le poète se garde bien de se laisser dominer par son imagination et sa sensibilité personnelle et de prêter à ses héros des idées, des réflexions, des émotions romanesques qu'ils n'ont pas. DesRochers s'est souvenu que la vue continuelle du plus beau spectacle nous blase inconsciemment et finit par ne plus nous en laisser voir les beautés. Nous ne voyons pas de poésie dans le spectacle familier d'une rue de notre ville, mais une rue sordide d'une ville étrangère peut nous apparaître pittoresque. C'est ainsi que, d'après les indications du «Beadeker», nos poètes canadiens vont s'extasier sur les beautés de tel coin de Hollande ou d'Italie, et ne trouvent rien dans leur imagination pour chanter les choses de chez nous! Mais, DesRochers possède le don secret de nous communiquer avec ses mots simples et ses descriptions sans grandiloquence l'émotion qui le remplit, et il sait nous faire aimer ce qu'il décrit et ce qu'il chante.

Qu'il adresse un «Hymne au Vent du Nord» ou une «Prière au Bon Dieu des gens frustes de chez nous», c'est l'âme du pays, l'âme des fils de la terre qu'on entend chanter ou prier. L'auteur s'efface, s'oublie pour ne nous révéler que l'amour et la foi de ceux dont il s'est fait l'interprète.

On appréciera de diverses façons le livre de DesRochers; on lui reprochera certaines imperfections que lui-même reconnaît et déplore avec toute sa sincérité de travailleur intègre. Mais, il n'en reste pas moins vrai que son œuvre est bonne et belle non seulement au point de vue littéraire, mais encore au point de vue national. À quoi servira-t-il que nos gouvernants améliorent notre «statut» à la face des nations, tant que dans nos cœurs ne s'éveillera pas l'amour de tout ce qui est de chez nous? Ah! que tous ceux qui, comme DesRochers, savent chanter notre pays, notre sol, nos traditions, se dressent et contribuent à notre trop tardif réveil! Il nous faut encore des DesRochers, des Désilets, des Potvin, des Charles Marchand, pour nous apprendre à aimer, à vénérer les choses de chez nous! Quand on parcourt notre province et qu'on entend jusqu'au fond des campagnes louanger les institutions américaines et dédaigner les nôtres; quand on sent l'emprise exercée par la publicité de la radio et du cinéma, il y a en nous quelque chose qui pleure, qui rage, qui se révolte!

Dernièrement encore, j'admirais un merveilleux crépuscule d'automne sur les hauteurs du Cap Santé. Par delà le fleuve, les villages s'assoupissaient entre les massifs de sapins verts et d'érables rouges, les villages aux vieux noms de chez nous: Lotbinière, Sainte-Croix, Saint-Jean-Deschaillons... Tout à coup, d'une maison voisine, j'entendis un appareil de radio glapir: «Ramona». Je m'enfuis sur la grande route, et j'entendis une mère berçant son enfant en lui chantant, oh! horreur! cette ânerie nommée: «The prisoner's song», et traduite en français par-dessus le marché!

Voilà où nous en sommes!

La Tribune, 30 novembre 1929

Table

Cet ouvrage composé en Garamond corps 12
a été achevé d'imprimer
le vingt-trois septembre mil neuf cent quatre-vingt-treize
sur les presses de l'Imprimerie Gagné
à Louiseville
pour le compte des
Éditions l'Hexagone.

Imprimé au Québec (Canada)